Jean-Philippe Baril Guérard

HAUTE DÉMOLITION

Roman

LES ÉDITIONS DE TA MÈRE

Direction littéraire : Maxime Raymond
Révision linguistique : Maude Nepveu-Villeneuve
Design graphique et illustrations : Benoit Tardif
Infographie : Rachel Sansregret

Bibliothèque et Archives nationales du Québec — 2021
Bibliothèque et Archives du Canada — 2021
ISBN — 978-2-924670-97-2

www.tamere.org

Nous remercions de leur soutien financier le Conseil des arts du Canada, la Société de développement des entreprises culturelles du Québec (SODEC) et le gouvernement du Canada.

Salut ! Je m'appelle Jean-Philippe, et j'ai écrit ce roman.

Il est question de suicide dans l'histoire que je m'apprête à vous raconter. J'ai essayé d'aborder la question de manière responsable, mais c'est possible que la lecture du livre soit difficile pour certaines personnes.

Si vous en ressentez le besoin, il existe beaucoup de ressources pour aider les personnes aux prises avec des problèmes de santé mentale. Au Québec, vous pouvez joindre la ligne 1-866-APPELLE, le site besoindaide.ca et les centres de prévention du suicide.

Bonne lecture,

JP

Tu t'es dit qu'il pouvait rien arriver de grave.

T'étais au chaud, protégé par le confort du taxi, le visage collé contre la vitre. Tu luttais pour te retenir de dire au chauffeur de se ranger, de te laisser descendre pour que tu marches jusqu'à chez toi et que tu te foutes un lit dans la face.

Tu trouvais que t'étais pas assez présentable pour te pointer dans un party. Tu sentais le gars qui s'en crisse : un mélange de clope, de trois pintes de rousse et de la sueur du cochon en route vers l'abattoir, que tu sécrètes toujours quelques minutes avant de monter sur scène, et qui te colle à la peau pour le restant de la soirée.

Le show t'avait fatigué. T'étais plus certain d'avoir l'énergie de mettre ta happy face et d'aller te battre pour attirer l'attention dans un party. Mais Sam a détourné son regard de la rue pour dire, presque menaçant :

— Là, tu vas pas me choker ça, toujours ?

Sam avait pas besoin de toi pour s'amuser au party, mais il est toujours prévoyant : il voulait être certain de t'avoir sous la main, si jamais il trouvait personne d'assez intéressant pour occuper son temps. Un plan B pour ne pas être le gars seul dans son coin qui cale sa bière en tentant de cacher qu'il se sent comme un enfant perdu dans un centre d'achats. T'as marmonné :

— Ben non, ben non.

T'as pas pu retenir le bâillement qui a suivi. Sam a sorti un Guru tiède de son sac à dos et te l'a lancé. T'as pas réagi assez vite et la cannette t'a frappé sur la joue avant de tomber sur la banquette.

— Estie que t'es moron, t'as dit.
— Faut que tu travailles tes réflexes, man !

Sam a éclaté de rire avant de recoller son front sur la marque huileuse qu'il avait laissée sur la fenêtre du tax.

Ça faisait à peine une heure que vous étiez sortis de scène, Sam pis toi. Show correct. Salle froide pis bruyante, mauvais pacing, mauvais animateur, et t'étais fatigué, mais t'as été présent, au moins, 100 % présent malgré les conditions, et les gens ont ri et ont peut-être réussi à aimer la vie pendant un instant, faque c'était pas un échec sur toute la ligne. Rien de gênant : t'as quand même eu une claque, quand t'as fait ton bit sur les conventums de maternelle, et le public était enthousiaste, mais y avait juste pas de quoi écrire à ta mère. T'as réussi à te convaincre qu'il fallait pas t'en faire : tu peux pas être transcendant à tous les soirs. T'as eu ce que tu voulais, au fond : ton numéro a mieux landé que celui de Sam. C'est tout ce qui compte.

Les numéros de Sam, tu les trouves souvent prévisibles. Ses setups sont tellement clairs que tu vois ses punchs venir à des kilomètres. Il a aussi une obsession malsaine pour son secondaire : presque chacune de ses blagues implique une anecdote de cours d'éduc, ou de house party, ou de frenchage aux cases, comme si son univers social avait plafonné à seize ans. Et il finit toujours sur un callback qui ajoute pas grand-chose et qui est pas très intelligent (mais qui, invariablement, fait rire la salle, par effet de surprise, ce qui te fait toujours chier). En plus, Sam, il manque de laisser-aller, quand ça lève pas : au lieu de relaxer pis de s'en foutre, il se crispe, il travaille plus fort pour tenter de convaincre le public, pis là il s'embourbe, toute la salle sent qu'il est trop volontaire, et ça fait mal à regarder. Quand ça arrive ça te fait du bien. Quand t'es meilleur que Sam ça te fait du bien. Être meilleur que Sam, c'est ce que tu veux depuis ta première journée à l'École de l'humour. Tu te disais qu'au moins, en finissant l'École, tu serais pas toujours en compétition avec lui, mais tu t'es fait prendre. À force de vous côtoyer, vous êtes devenus amis, et vous travaillez bien ensemble, alors vous collaborez sur des projets, et vous vous côtoyez régulièrement sur des pacings de soirées de stand-up : impossible de s'en sortir, vous êtes collés l'un à l'autre.

Sam est charmant. Les gens l'aiment en deux secondes.

Sam avait un écouteur dans l'oreille, son iPhone dans une main, ouvert sur le dictaphone qui rejouait son numéro de ce soir, les yeux qui fixaient le vide devant lui, ses lèvres qui articulaient mollement chacun de ses gags, ses sourcils qui se fronçaient quand il était insatisfait de sa performance, ou de la réaction du public.

Toi tu sentais pas le besoin de réécouter tout de suite ta performance. Toi tu savais que t'avais mieux fait que Sam. C'était tout ce qui comptait.

Mais ça marche, ses trucs, quand même : faut lui donner ça, à Sam. Pas pour rien que Forand l'a signé en gérance et en prod, avant même votre sortie de l'École.

Mais même si tu l'aimes bien, tu peux pas t'empêcher de le mépriser en sourdine. C'est presque impossible d'apprécier sans une pointe de mépris le travail de quelqu'un qu'on a côtoyé pendant deux ans d'École et quelques années de métier. Rire, ça demande une part de mystère, d'inconnu, et Sam, tu pourrais cartographier des recoins de son âme qu'il connaît même pas. Tu sais ce qui le fait vibrer, bander, pleurer. Il n'y a plus le moindre espace chez lui qui pourrait te surprendre. Même ses nouveaux gags, à ton oreille, ils sonnent comme si tu les avais entendus cent fois.

Mais tu l'aimes bien, quand même, Sam. Tu l'aimes bien. C'est juste un peu compliqué parce que, comme toi, il veut être aimé de tout le monde, et ça vous place en compétition. C'est juste un peu compliqué parce que tu l'envies, au fond : toi aussi, t'aurais voulu que Forand te signe. Forand qui te signe pas, c'est Forand qui te dit que t'es une merde. C'est Forand qui te dit que tu vaux rien. C'est Forand qui te dit que tu mérites pas d'être aimé.

Ton téléphone a vibré dans ta poche. C'était la fille, là. Celle avec qui t'as couché une dizaine de fois et que t'as pas revue depuis deux mois.

— Qu'est-ce tu fais ?

Elle te parlait avec un ton emprunté d'enfant de cinq ans. *Qu'est-ce tu faiiiiiis.* Elle a continué :

— Viens chez nous…

Elle avait la diction molle. Elle aime beaucoup le vin, passé sept heures le soir.

— Ben je, euh… quoi ? Non, je peux pas.

Les doigts de Sam ont glissé vers son écouteur. Il l'a retiré de son oreille. La fille a continué, suppliante :

— Come oooooon… Viens chez nous. J'ai besoin de te voir.
— T'as besoin de me voir ? Mais on — je veux dire on s'est pas vus depuis comme, vraiment longtemps.
— Justement ! Tu me donnes jamais de nouvelles…
— Je, euh, ouais… Non.
— Non ?
— Je viendrai pas. Ça me tente pas.
— Mais lààààà…
— Quoi.
— J'ai vraiment envie de te voir.
— C'est vraiment pas le moment.
— Mais lààààà…
— Je suis sérieux.
— J'ai déjà une bouteille de vin d'ouverte. Je vais quand même pas boire ça tout seule.

Mensonge : elle aurait pu caler celle-là facilement, plus une autre, probablement. T'as dit :

— Non.
— Je te paye le taxi.

— Je suis pas chez nous, c'est pas le moment. Je m'en vais dans un party.
— Je peux-tu venir ?
— Non.
— Après, d'abord ? Tu passes après ta soirée pis je t'attends tout nue dans mon lit.

T'as vu un pétillement d'intérêt dans les yeux de Sam. Mais pas un intérêt sexuel. Plus quelque chose comme la curiosité morbide qui nous fait ralentir quand on voit un accident de char dans la voie opposée, sur l'autoroute. Tu t'es dit que t'aurais dû mettre tes écouteurs : même sans être sur le haut-parleur, Sam entend tout.

— Là, je vais juste raccrocher. Okay ?

Quelque chose comme un sanglot, à l'autre bout de la ligne. Une grande inspiration.

— T'es un TABARNAK DE TROU DE CUL !
— Bon. Okay. Bonne nuit.

T'as pas eu le temps de reprendre ton souffle que les messages ont commencé à inonder ton Messenger.

POUR VRAI C'EST TELLEMENT DE LA MARDE
COMMENT T'ES AVEC MOI
FUCK OFF ESTIE
ARRÊTE DE TE DONNER DE L'IMPORTANCE
OK
OK
OK
OK
OK RAPH C'EST BEAU LÀ JE ME CALME
MAIS FAIS JUSTE VENIR
VIENS

VIENS CHEZ NOUS OK?
STP
COME ON
ÇA VA ÊTRE LE FUN

Elle tape rapidement, la fille: en trois minutes, tout était déjà bouclé. Normalement, ça voudrait dire que t'aurais la paix pour au moins un mois, avant la prochaine psychose. C'était drôle, par moments, de débarquer chez elle à trois heures, de caler des bouteilles de vin et de fourrer avec elle jusqu'au lendemain, mais c'est devenu moins drôle quand t'as réalisé qu'elle calait des bouteilles tous les autres soirs aussi, et qu'elle gérait très mal le téléphone quand ses facultés étaient affaiblies. Pas grave: on a tous nos forces pis nos faiblesses. Elle tient mal l'alcool, pis toi, t'as pas le courage de bloquer son numéro.

— Ça va, man?

Sam t'a regardé gérer la situation sans dire un mot. Un de ses sourcils s'est légèrement contracté et il a réprimé un sourire en coin.

Tu connais Sam. Tu décryptes les moindres inflexions de sa voix. Tu connais toute la palette des variations subtiles de son expression.

Sam s'est délecté de sa question. En te disant *ça va?*, Sam t'a indiqué qu'il trouvait, comme toujours, que tu couchais avec une connasse, que tu t'étais empêtré dans du drama ridicule, probablement pour attirer l'attention. En te demandant si tout était correct, il remettait en doute ta capacité à interagir avec les autres êtres humains. Te faisait passer pour un adolescent irresponsable. T'écrasait.

Tu t'es senti forcé de te justifier :

— Je te jure que j'y ai pas parlé depuis deux mois. C'est une folle.
— Mm.
— C'est la même histoire à chaque fois.
— Check tes shits, man. C'est pas normal.

Ça aurait été pire de te défendre. Fallait juste courber le dos et te contenter d'un haussement d'épaules. Des fois, t'aimerais connaître Sam juste un peu moins : il existe un cap passé lequel on connaît trop quelqu'un pour l'apprécier pleinement. Pour pivoter, t'as dit :

— L'adjointe de Forand va être là ?

T'as dit ça sur un ton qui suggérait que c'était à la blague pour cacher le fait que ça l'était absolument pas. T'es pas le roi du subterfuge.

T'avais fait semblant d'avoir oublié mon nom.

Tu te trouvais plus smooth de m'avoir réduite au titre d'adjointe de son gérant. Tu voulais pas que ça paraisse, que je m'étais frayé un chemin jusque dans ta mire.

T'avais jamais rêvé de moi, pas vraiment, mais Sam t'avait vu me regarder trop longtemps un soir après un show, quand j'étais assise avec toi pis lui pis son gérant, pis avant même que tu te permettes de penser quoi que ce soit de moi, Sam t'a dit *t'sais qu'est célibataire hein*. Ça t'a scié en deux. Tu connais ta place, dans le monde, et tu sais que les gars comme toi finissent pas avec les filles comme moi. Mais Sam t'a tendu un piège, et à cause de ça tu t'es mis à me considérer comme une possibilité.

Tu t'es dit que je te reconnaîtrais probablement pas, de toute façon. Trop « relève » encore. Le soir où t'as partagé une table avec moi au Bordel, t'étais juste un vulgaire spectateur. À un moment t'as essayé de détendre l'atmosphère pour rendre un peu moins ridicule le fait que tu comptais ta petite monnaie pour régler ta pinte. J'avais fini par te l'offrir, même pas par pitié, mais parce que tu me volais de mon précieux temps, et que ça me gossait moins de te refiler la bière que de te regarder compter tes dix sous en essayant de me faire rire. Le lendemain, je me souvenais plus de toi.

Je travaille dans une boîte de gérance. Je suis habituée aux jeunes humoristes qui essaient de me faire rire pour camoufler leurs failles. Ça en prend plus pour m'impressionner. T'étais même pas assez désagréable pour laisser une impression durable. Mais c'est une bonne chose : tu vois, là, j'ai pas d'a priori sur toi.

Parce que tu veux faire bonne impression. Depuis que Sam t'a dit que je suis célibataire, tu m'as stalkée. T'as pas réussi à trouver grand-chose sur moi, parce que je fais partie de ceux qui ont compris qu'on a plus à gagner en se cachant qu'en se montrant. Mais t'as trouvé ce qu'il te fallait : t'as pu confirmer que je suis aussi belle en photo que dans la noirceur d'une salle de spectacle.

L'information, c'est régi par l'offre et la demande : si t'en donnes moins, elle va valoir plus. Montre une parcelle de peau, et une cheville dénudée va être assez pour nourrir des nuits entières de rêves érotiques.

T'as dit, en forçant le ton le plus négligent et détaché du monde :

— L'adjointe de ton gérant va être là ?

Parce que si j'y étais, tu t'es dit, t'allais pouvoir venir me voir, faire une remarque à propos de mon voyage en Islande, parce que c'est une des seules choses que t'as pu découvrir sur moi, le fait que j'y suis allée l'an dernier, et t'allais peut-être pouvoir commencer à tracer quelque chose qui ressemble à un portrait un peu plus intégral de ma personne.

— Euh... ouais, en fait. Je l'ai invitée. Pour ?

Tu disais ça à la blague. Tu t'attendais pas à ce que je sois là réellement. Mais de savoir que je serais là, tout d'un coup, t'en as perdu tes moyens, tu savais plus ce que tu faisais à te rendre au party, ni pourquoi t'avais posé cette question-là, ni c'était quoi, tes intentions à mon égard. Ni ce que Sam pensait de ton intérêt pour moi.

Sam aurait probablement pas été en compétition avec toi : je travaille pour son gérant. Il a pas beaucoup de principes, mais il sait que c'est pas bon pour la business, de fuck avec le payroll. Mais Sam veut pas nécessairement ton bien. Lui dire que tu rêves de voir la cheville de la belle adjointe de son gérant, ça serait trop t'exposer, ça serait lui ouvrir ton cœur pis l'inviter à le tailler en pièces de la façon la plus cruelle qui soit : être méchant, ça fait rire. Chercher le rire est tout ce que vous savez faire, toi pis lui.

Tu t'es replacé sur la banquette en tentant d'avoir l'air nonchalant :

— Oh. Je sais pas. Je demandais.

C'était un long shot : j'avais aucune raison d'être au party, ce soir. Mais j'avais rien à faire, pis Sam m'a invitée, presque à la blague, tantôt, quand je l'ai appelé pour régler des détails sur un corpo qu'il doit aller faire à Mont-Laurier dans deux semaines.

T'as tenté de pédaler :

— Faque elle fait quoi, déjà ?
— Laurie, ça ?
— Oui.

Sam a pas eu l'air de comprendre :

— Ben là a va au party.
— Je voulais dire dans' vie.
— Oh. Ben… Est adjointe de mon gérant, là.
— Elle doit pas juste faire ça.
— Je pense qu'a m'a dit qu'a'l écrivait.
— Ah ouais ?
— Elle veut être scripteuse, je pense. Ou en tout cas a'l essaie, a commence.
— C'est bon ce qu'elle fait ?
— Jamais vu. Mais 'est intelligente. Ça doit marcher.

Sam a levé les yeux de son téléphone, les a posés sur les tiens.

— Est cool, Laurie. Est vraiment cool.

C'était pas creepy, comment il a dit ça. C'était plus comme une trêve, ou des excuses. *Est cool, c'est bon si elle t'intéresse, je pense que tu fais bien, je te le dirais si y avait un red flag.* Il aurait dit ça, si vous étiez capables de vous parler autrement que par des blagues.

Le taxi a ralenti devant l'appartement. Sam a sorti sa carte de crédit :

— Je vais le prendre, Raph.
— Non, non, c'est bon.
— Okay. Je te donnerai une bière, en haut.

Il te restait quarante dollars, dans ton compte. En pigeant dedans pour payer les vingt dollars de la course (ta crédit est pleine, évidemment), tu t'es dit que t'allais devoir trouver une façon de survivre sur vingt dollars, en attendant que le cachet du show de ce soir arrive. C'est pas si mal : tu préfères crever de faim pendant quelques jours plutôt que laisser Sam te rappeler qu'il fait beaucoup plus d'argent que toi en le laissant payer la course.

Y a un frisson qui est parti de ta gorge, qui a descendu ta colonne et qui t'a réchauffé le ventre à mesure que tu gravissais les marches. Un trac, comme. Tu t'es senti bien, quand ta main s'est posée sur la poignée de la porte de l'appartement. Le meilleur moment d'un party, c'est toujours quand on est sur le point d'ouvrir la porte.

L'humidité, la clope, la puanteur du gars proche de l'entrée qui pensait que personne allait remarquer qu'il avait lâché une grosse caisse, la bière renversée qui est en train de coller dans un recoin et qui va faire sacrer l'hôte demain, la sueur, la mauvaise haleine, les rots de bière : un bouquet des odeurs les plus dégueulasses et réconfortantes du monde vous a accueillis quand vous avez traversé le cadre de porte. Sam s'est penché vers toi pour murmurer à ton oreille :

— Game on, man.

Tu t'es redressé, t'as scanné l'appart sur toute la longueur, essayé de faire un inventaire du monde présent.

— Raph Massi ! Brrrap !

Max Lap, accoté dans le corridor, t'a vu entrer et t'a envoyé un high five violent suivi d'un gros hug :

— En forme, man ?
— Correct, correct ! Toi, faudrait que tu coupes su'l poulet un peu !

T'as dit ça en donnant une petite tape sur sa bedaine, qui a effectivement gonflé dans les derniers mois. Il a répondu en riant :

— C'est les risques du métier, ça !

Les affaires de Max vont pas trop mal pour lui depuis sa sortie de l'École, mais il a connu une gloire inattendue quand son défi d'essayer tous les poulets frits offerts dans les restos de Montréal et d'en faire des capsules YouTube est devenu viral. Des restaurants se sont mis à lui offrir de manger sur le bras, d'abord à Montréal, puis un peu partout au Québec. Ça roule tellement que son stand-up est pratiquement devenu un produit dérivé de son travail de youtubeur, même s'il insiste pour dire qu'il est d'abord humoriste, ensuite youtubeur, et pas l'inverse. S'il était Sam, tu manquerais pas une occasion de profiter de son complexe d'infériorité, mais c'est Max Lap : Max Lap, t'es pas assez intime avec lui pour te permettre d'être aussi abrasif.

En pointant ta caisse de bière, t'as dit, en frottant son épaule :

— Je vais dropper ça dans le fridge pis on se jase, man ! *Je veux qu'on parle.*

C'est pas vrai à proprement parler, en fait Max t'es bon pour lui lancer des one-liners quand tu le croises, et tu l'aimes sincèrement, il était cool à l'École, mais l'idée de parler avec lui plus longtemps t'angoisse un peu parce que t'as pas grand-chose à lui dire quand vous vous retrouvez face à face. C'est pas grave, mais c'est juste que ça serait gênant pour tout le monde de lui dire ça. L'important, pour toi, c'est d'au moins faire mine de vouloir aller plus deep, pas de le faire réellement : c'est le minimum pour bien paraître en société.

En passant dans le salon, t'en as profité pour venir surprendre Dom Montigny, qui était complètement absorbé par sa game de beer pong, en l'attrapant par les flancs et en criant :

— ATTENTION !

Dom a échappé un cri qui a attiré l'attention de tout le monde dans le salon. Il a lancé sa balle par réflexe. Elle est tombée dans le dernier verre Solo rouge de son adversaire, un dude inexplicablement en chest.

— Dude, tu peux pas faire ça pendant que je suis concentré de même !, Dom a dit.
— Tu devrais me remercier, je viens de te faire gagner !

T'as pointé le dude en chest, en train de caler la bière dans laquelle la balle venait d'amerrir. Il a dit :

— Bon bon bon. Pogne donc ça, j'en ai trop.

Il t'a donné un de ses verres de bière et t'a envoyé vers le fond de l'appart avec une tape sur la fesse. En passant dans la salle à manger, t'as donné des becs à Elena Miller, qui était accotée contre le vaisselier, les yeux sur son téléphone. T'as dit :

— Mademoiselle Miller.
— Monsieur Massicotte.
— Très bon, ton numéro sur le Carnaval de Québec à ComediHa.
— Je pense que c'est la première fois que tu me fais un compliment depuis qu'on est sortis de l'École.
— Si je suis trop gentil avec toi, tu vas finir par te faire des idées.

— Quel genre d'idées, mettons ? T'as peur que j'aie l'impression que t'as enfin fini par apprendre à vivre en société ?
— T'sais que tu pourrais juste me dire merci.

Elle a lâché son téléphone, a levé les yeux vers toi et t'a souri sincèrement :

— Merci, Raph. C'est fin.
— Je donne pas de compliments gratuits. Je t'ai trouvée solide. C'est quand même un exploit que je t'aie endurée pendant deux ans d'École pis que je sois encore capable d'aimer ce que tu fais.
— C'est ça, le talent.

Elena a chuchoté, en roulant les yeux en direction du dude en chest :

— Là, par contre, fais rien de déplacé, s'il te plaît. Je suis venue avec mon nouveau chum.
— T'sais que c'est la meilleure façon de me donner envie de faire quequ' chose de déplacé, ça.

Elle a essayé de se donner un air offusqué, sans effacer son sourire en coin. T'as dit :

— Combien de temps avant que tu le trompes, lui ?
— Idiot.
— C'est parce que je m'inquiète pour toi. Je sais que la monogamie c'est pas ton truc. Tu dois tellement être malheureuse en ce moment.
— Pis là tu vas m'offrir gracieusement que je vienne chez toi pour me sauver, j'imagine ?
— En temps normal, j'aurais fait ça, oui, parce que j'ai un grand cœur, mais là je te dirais que j'ai un petit projet.

— Je vais le croire quand je vais le voir.
— Est-ce que ton chum a besoin d'aide ? J'ai sûrement un vieux t-shirt dans mon sac.
— Raph, on sait tous les deux que si t'avais la discipline pis la génétique pour avoir un aussi beau chest que lui, tu serais nu twenty-four seven.
— Je sais. C'est justement pour épargner ça au monde que j'ai une bedaine.

Un bras est apparu de nulle part pour saisir la bière d'Elena. T'as remarqué que le gars en chest était venu s'incruster entre elle et toi pour lui voler une gorgée. La sueur perlait sur sa poitrine. Ça s'est mis à sentir le bœuf musqué, subitement.

— Moi c'est Jason.

Il a dit ça comme s'il espérait pas vraiment de réponse, sans tendre la main. Il a calé la bière d'Elena d'un coup sans te quitter des yeux. Tu l'as fixé longtemps avant de dire :

— Je viens de partir un sociofinancement pour te payer un t-shirt, d'après moi on devrait être bons pour te couvrir les mamelles d'ici la fin de la soirée. Je disais à Elena que c'est vraiment chien de sa part de pas t'aider à te payer du linge, mais elle insistait que c'est pas à elle de payer ça.
— Hein ?
— Pourtant, Elena, tes affaires roulent bien, me semble que ce serait la moindre des choses de soutenir ton chum.

Le gars a pas eu l'air de même comprendre dans quelle langue tu lui parlais. Elena a fait un coup de tête vers la cuisine et a marmonné entre ses dents, déchirée entre le malaise et l'envie de rire :

— André a dit de mettre ça dans le bain, Raph.

Tu t'es éloigné d'Elena avec un sourire fendant, tu t'es dirigé vers la salle de bain et, en y entrant, tu t'es cogné le front contre André, qui en sortait en reniflant et en frottant ses gencives. T'as reculé et t'as dit :

— Oh shit man ! Je suis désolé !
— Ben non, c'est moi !

André a pris un quart de seconde pour te reconnaître, puis :

— Oh, Raph !
— Salut, man !
— Es-tu correct ?

Sur l'impulsion du moment, tu t'es mis à faire semblant d'être aphasique :

— Je… pleut pas… trouver… les mots…

André t'a regardé, figé, le cul serré, en train de se demander s'il allait devoir vivre avec la culpabilité de t'avoir rendu inapte à travailler pour le restant de tes jours. De l'or en barre. Tu l'as laissé mariner cinq bonnes secondes avant de hurler :

— Estie que t'es poisson, man !

André a fait semblant de te foutre un poing au visage avant d'éclater de rire.

— T'es tellement con, man! T'arrives d'où, de même?
— Jockey.
— Tu rodais pour ton one-man show?

Un petit nuage de honte est passé au-dessus de ta tête.

— Non, non, ben techniquement oui, éventuellement, mais moi j'ai pas vraiment encore de contrat pour un one-man show, c'est Sam qui—
— Ah c'est ça c'est Sam qui a signé avec Forand pis qui prépare son one-man show, c'est vrai! Estie que ça roule, ses affaires, pareil, à Sam, hein?

Sam a des centaines de milliers de views sur YouTube, avec ses sketches, et Sam va régulièrement à la télé, et à la radio. Sam, la cousine de Saint-Lin, elle sait qui il est. Toi, pas tellement. T'as dit:

— André?
— Quoi?

Tu lui as fait signe de se frotter le nez. Faussement honteux, il s'est nettoyé rapidement en disant, avec un regard presque complice:

— Oups.

Il t'a donné une tape dans le dos avant de continuer son chemin. T'es entré dans la toilette, où le bain crasseux était rempli de glace et débordait déjà de bières. T'as abandonné et tu t'es dirigé vers le balcon. Il fait doux ce soir, peut-être sept ou huit, alors ça te paraissait pas si mal: quand la bière serait devenue tablette, tu serais probablement trop soûl pour t'en rendre compte.

Parce que oui, y'a fallu que tu te soûles bien comme il faut pour trouver le courage de venir me parler. Parler à deux cents personnes sur une scène, facile, mais tenter de faire rire une fille à qui t'as parlé une seule fois et sur qui t'a dessiné une cible, ça, ça demande du courage.

— Qui d'autre vient à soir ?

La voix de Sam, venue de derrière toi, t'a fait sursauter. Sam t'a rejoint pour venir déposer ses deux six-packs de Pabst avec ta caisse de Tremblay sur le balcon. Il en a profité pour ouvrir son pack de Benson, porter une clope à sa bouche et t'en offrir une sans que tu demandes.

Il fume des Benson, Sam. Évidemment qu'il fume des Benson. Pas pour la qualité. Juste pour qu'on voie qu'il fume des Benson, alors que toi, tu fumes des Craven A.

Il a approché la flamme de ta bouche en la protégeant d'une main. T'as tiré un long trait. Ta tête s'est allégée, tes épaules sont descendues. La vie était belle.

On passe nos vies à courir dans tous les sens en quête de bonheur, alors que tout ce qu'il faut pour être heureux, c'est tirer longtemps sur une clope quand le moment est venu de tirer longtemps sur une clope.

— Je sais pas si les planchers vont tenir si on rajoute du monde, t'as dit.
— Thomas m'a dit qu'il venait, je pense, Sam a dit.
— Évidemment.
— Tant qu'à faire, y'aurait pu prendre la peine de venir te voir tantôt.

Encore une pointe dissimulée : le gérant de Sam, évidemment qu'il le suit presque partout, et ce que Sam essayait probablement de sous-entendre, c'était que t'es pas parfaitement représenté, avec Thomas. Il avait probablement raison : Thomas était dans votre promo, à Sam et toi, et ça lui a pris environ deux mois après la fin de l'École pour réaliser qu'il allait jamais être humoriste. Il a décidé comme ça, sur un dix cennes, de devenir gérant, et comme tu t'entendais assez bien avec lui et que personne avait encore signifié d'intérêt à te représenter, il s'est dit que tu serais un bon candidat. C'était pas une histoire de coup de cœur, comme Forand qui signe Sam, mais ça va : Thomas, faut lui donner ça, c'est peut-être pas le meilleur gérant, mais il est certainement meilleur gérant qu'humoriste. Pis il pourra apprendre : il fait ça que depuis deux ans. Il a pas de gros cheval dans son écurie encore.

Vous avez fumé votre clope en silence en regardant la ruelle plongée dans la lumière orange du lampadaire. Une chatte en chaleur miaulait comme une démone en se frottant sur une clôture de bois. En dessous de vous, un couple de boomers un peu soûl finissait de souper.

— C'était bon, pour vrai, ton number, je trouve, Sam a dit.
— Merci. Je pense encore que je pourrais trouver un meilleur punch-out, mais une affaire à' fois, j'imagine.
— Bof, on peut toujours trouver un meilleur punch-out, mais un moment donné, faut lâcher le morceau, aussi.
— Ouais.

Il a rien ajouté : pas de bitcherie, pas de pot pour accompagner la fleur.

— On pourrait proposer un programme double ensemble au Zoofest l'été prochain. Genre un trente minutes / trente minutes. Je vais avoir du stock à roder pour mon one-man show. Pis toi, ça pourrait te botter le cul pour sortir plus de matériel. T'aider à te trouver un producteur, enfin produire ton show.

Non : le pot tardait seulement un peu plus à venir. Sous-texte : *t'es lent, t'es pas productif, t'es pas discipliné, et j'ai pris de l'avance sur toi depuis notre sortie de l'École.* Et en même temps, il avait complètement raison. T'es un bon humoriste, c'est pas ça la question. Mais t'adores aussi te pogner le cul, et fumer du weed en jouant à *Call of Duty*, c'est malheureusement pas très bon pour l'avancement de ta carrière.

T'as dit :

— Je suis down… si y veulent d'un inconnu dans la programmation.
— Nah, Forand va être capable de nous faire rentrer.
— Ton gérant travaille pour toi, pas pour moi.
— On verra.

T'as jeté ta clope en bas du balcon. Le botch a atterri directement dans le verre de vin du voisin d'en dessous. Il a levé la tête vers vous en criant :

— Hey, tabarnak, ma cour c'pas un cendrier !

Vous êtes partis à rire. Sam a gueulé :

— Si j'étais vous, je garderais ça, c'te botch-là, ça va valoir très cher dans une couple d'années !

Vous vous êtes retournés pour observer le party à travers la fenêtre de la cuisine. T'as dit :

— Laurie, a venait ou pas, finalement ?
— Ben ouais. Regarde.

Sam a pointé vers la cuisine, dans ma direction. Tu m'as trouvée encore plus belle que dans ton souvenir. Quelque chose dans mes traits t'a donné le goût de te rapprocher de moi, comme on est attiré vers un feu en hiver. Un réconfort.

Même si c'était seulement la deuxième fois que tu me voyais, t'as eu l'impression de vivre des retrouvailles en me revoyant, comme ça, de loin. Tu vas me le dire souvent, ça, quand on va être ensemble : *j'aurais aimé ça t'avoir toujours connue*. Mais ça aurait pas été une bonne chose, que je t'aie toujours connu. T'aurais probablement eu peur que je te méprise comme tout le monde, si je t'avais connu au secondaire. On aurait pas été dans la même ligue. Moi, j'ai toujours été bonne avec le monde, même très jeune. Toi, t'as dû apprendre. À la dure.

Moi, les gens m'aimaient beaucoup, au secondaire.

Dans la cuisine, de l'autre côté de la porte, j'étais en train de jaser avec une fille que tu connais pas, la main sur son épaule, très près du visage. La fille avait un toupet de Rosemont et des manches de tatouages compliqués. T'as dit à Sam :

— Est-tu aux filles ?
— M'semble que non, je pense pas.
— Tu penses ou tu sais ?
— Voyons, t'es ben rushant. Tu vas pas mourir si 'est lesbienne.

T'as forcé un rire, pour désamorcer : non, évidemment. Faudrait pas que t'en meures. Parce que, statistiquement, y aurait beaucoup plus de chances que tu m'intéresses pas que le contraire. Et ne pas accepter ça, ça ferait de toi un psychopathe.

— Okay, je vais y parler, t'as dit.
— Là, là ?
— C'est-tu un mauvais moment ?
— J'espérais te garder au moins une petite demi-heure pour moi avant de te perdre pour la soirée.

Tes jambes se sont tendues, l'une qui voulait aller devant, l'autre rester. Sam a dit, presque bienveillant :

— Je déconne, man. Vas-y.
— Okay.
— Là, sois pas weird avec, okay ?
— Je fais pas de promesses.

Et comme ça, t'as calé ta bière, tu l'as placée dans la main de Sam, t'as pris une grande inspiration, t'as rouvert la porte de l'appart, tu t'es enfoncé dans l'air musqué de la cuisine, t'as attendu patiemment, comme un prédateur, que Claire se détourne (parce que c'est son nom, Claire, la fille avec qui je parlais), t'as attendu que Claire se détourne de moi, t'es venu te placer droit devant moi pis t'as dit :

— Salut, je viens d'apprendre que t'es pas lesbienne, pis je suis vraiment content de ça. Veux-tu prendre un shooter ?

J'ai pas éclaté de rire comme tu l'aurais voulu, mais ça m'a tiré au moins un sourire. C'était frontal, mais c'est pas comme si tu voulais, ou savais, faire autrement.

— Pourquoi tu pensais que j'étais lesbienne ?
— La façon que tu parlais à la fille, tantôt.
— Claire ?

Je me suis retournée vers le salon pour pointer où la Claire en question était en train de danser, les bras dans les airs, les yeux fermés, son septum qui récoltait la sueur qui perlait sur son nez. T'as dit :

— Ouais, elle.
— C'est ma meilleure amie, pis elle revenait de quatre mois de voyage aujourd'hui. Je l'aime beaucoup, mais c'est pas sexuel.
— Excellente nouvelle, ça.
— Dépend pour qui, j'imagine.

J'ai dit ça avec un petit sourire en coin, avant d'ajouter :

— Tu veux qu'on boive quoi ?
— En fait j'ai juste de la bière, c'était plus comme une façon de parler.
— Fais-moi pas des promesses que tu peux pas tenir.

T'as pas pu t'empêcher de sourire : je t'avais pas fermé la porte au nez, pis ça, c'était déjà une grande victoire. T'as dit :

— Vodka pickle, t'aimes ça ?

— Ç'a l'air du pire mélange au monde.
— Donc t'as jamais essayé.
— Non.
— Donc tu peux pas savoir si c'est le pire mélange au monde.

Quelque chose a eu l'air de m'amuser, dans ton insistance. J'étais pas subjuguée, mais t'as perçu un genre de curiosité dans mon regard. Tu m'as entendue admettre, à contrecœur, toujours un sourire en coin :

— Exact.
— Bon, ben on vient de se trouver un projet, nous deux.

T'as fouillé dans les armoires de la cuisine, à la recherche de verres à shooter, mais t'as trouvé juste des petits verres d'eau.

— Bon, ça sera peut-être pas aussi spectaculaire que dans un bar, mais c'est la démarche qui compte, hein ?
— J'imagine que t'as pas de pickles non plus ?
— Tout le monde a des pickles.
— Je suis pas certain que les gars sont nécessairement à l'aise que—

Mais t'étais déjà agenouillé devant le frigo, en train de tasser les Tupperwares remplis de restants moisis, les légumes flétris pis les cannettes de Coke. Ton regard s'est arrêté sur un pot de gros cornichons que t'as brandi comme un trophée. J'ai dit :

— Ça, c'est des cornichons sucrés, pis je suis pas mal sûre que normalement, on fait ça avec des cornichons à l'aneth. Pis c'est des maudits gros cornichons, pour des shooters, aussi.

T'as plongé ta main dans le pot, t'en as ressorti un cornichon d'au moins six pouces, t'en as cassé deux morceaux avec tes doigts et t'en as fait tomber un dans chacun de nos verres.

— J'imagine que tu t'es lavé les mains, j'ai dit.
— Tout ça c'est 100 % MAPAQ.
— J'arrive pas à décider si je trouve tout ça vraiment drôle ou vraiment dégueulasse.
— Ça va baigner dans l'alcool, faque y a pas vraiment de risque de germes.

En disant ça, tu t'es mis à scanner le comptoir. La seule vodka que t'as trouvée était une bouteille de Smirnoff vide, alors tu t'es rabattu sur un gros litre de gin Beefeater.

— C'est à qui, ça? j'ai demandé.
— Aucune idée.

T'as pris une gorgée directement au goulot en me regardant dans les yeux. T'as versé plusieurs onces sur chaque gros morceau de pickle.

— C'est officiellement le pire shooter que je me suis fait offrir de ma vie, j'ai dit.
— Moi, tant que c'est un shooter mémorable, je vais être content.

J'ai levé mon verre. T'es venu cogner le tien.

— Moi c'est Laurie, en passant.
— Je sais. On s'est déjà parlé.
— Je sais.
— Mais tu t'en souviens pas— Ah, tu t'en souviens?

— Techniquement, non. Mais je sais que tu vas me dire qu'on s'était déjà parlé au Bordel.

Et là tu t'arrêtes.

— Quoi ?
— T'sais que j'ai un superpouvoir ?
— Ah ouais ?
— Je peux lire dans l'avenir.
— Comment ça ?
— On se connaît à peine. Je vais pas te révéler tous mes secrets. Mais je peux te dire que je lis dans l'avenir.
— Faque qu'est-ce qui m'attend ?
— Tu t'en remettras pas.

Ça te fait sourire. Tu retiens un petit gloussement, même. Tu dis :

— Okay. Prouve-le.

Je prends une inspiration. Mes yeux dévient vers le balcon. Pendant une fraction de seconde, t'as l'impression que je deviens extrêmement, irrémédiablement, infiniment triste. Je chasse la tristesse, je me remets à sourire, et je repose mes yeux sur toi pour dire :

— Tu t'es dit qu'il pouvait rien arriver de grave.
— Je… quoi ?

Comme si ton diaphragme décidait de cesser de fonctionner, pendant quelques instants. Tes genoux ramollissent. La musique provenant du salon baisse de vingt décibels. T'as l'impression de me voir en tunnel, soudain.

Parce que oui. Tu t'es dit, dans le taxi, que ce soir, il pouvait rien arriver de grave. Après une pause, tu continues, les sourcils froncés :

— Mais t'as dit que tu pouvais voir le futur.
— Mm-hm.
— Ça c'est mon passé.
— Je sais ça parce que tu me vas me le raconter, plus tard.
— Dit de même, tout peut avoir l'air de venir du futur.
— Okay. Y a la fille folle avec qui tu couches qui t'a appelé dans le tax.
— C'est Sam qui t'a raconté ça ?
— Non. J'ai pas parlé à Sam depuis que vous êtes arrivés.
— Est-ce que ça me disqualifie, de coucher avec une folle ?
— Ça te disqualifie de la traiter de folle.
— C'est toi qui as commencé.
— C'est toi qui as dit ça dans le taxi.
— Faque il va arriver quoi, si tu mens pas ?

Commençons par le plus important : on va avoir du très bon sexe, cette nuit. Même si on va rentrer torchés. Je vais pas venir, mais ça, tu vas pas t'en rendre compte, pis je te le dirai pas tout de suite, évidemment, pour éviter de te froisser. Je sais à quel point c'est délicat, un ego de gars. Mais ça sera du très bon sexe. Je te raconte pas les détails parce que je veux pas gâcher la surprise. Mais du très bon sexe, je te garantis.

On a une connexion, toi pis moi. C'est évident. Et même si le sexe, c'est pas tout, pour que deux personnes qui se croisent finissent par prendre le même chemin, ça prend un liant. Pis en l'absence de mieux, le sexe, ça fait souvent la job, pour rapprocher le monde. On a inventé une séparation entre l'amour et la sexualité pour justifier toutes les fois où on baise et il se passe rien. Mais ça nous rattrape toujours, même si c'est juste une fois par vie. Il y a une personne qui nous attrape dans le détour, qu'on attrape dans le détour, deux personnes qui au bon lieu, au bon temps, se rencontrent et se rendent mutuellement folles à cause de détails aussi insignifiants que l'odeur de leur sueur, le grain de leur peau, la forme de leur bouche, le ton de leur voix. Le désir, c'est juste un leurre. Mais on s'en fout que ça soit juste un leurre, si le poisson mord.

C'est pour ça que demain matin, dès que tu vas mettre le pied en dehors de chez moi, tu vas savoir que t'es dans la marde. Tu vas avoir mal à la tête, tu vas être en retard pour un meeting de brainstorm pour une websérie pas très originale que t'as le projet de développer, avec un producteur pas très compétent (elle se concrétisera jamais, je te rassure).

Tu te rappelleras même plus où t'es, exactement, ni comment rentrer chez toi, et pourtant ça va te frapper en pleine face comme un coup de batte de baseball: entre maintenant et demain, il se sera passé quelque chose d'assez majeur pour altérer la trajectoire de ta vie.

À partir de demain matin, me voir, ça va devenir tout ce qui compte. À partir de demain matin tu vas être cinglé.

Tu sauras pas pourquoi ni comment c'est arrivé: c'est pas comme si t'avais l'habitude de t'accrocher à n'importe quelle fille comme ça. T'es pas désespéré à ce point-là.

Mais y a un lieu et un temps pour chaque chose, et peut-être que ce matin-là, devant ma porte, avec le soleil qui te fait plisser les yeux, la bouche pâteuse et l'âme un peu morte, peut-être que ce matin-là devant chez moi, ça sera le lieu et le temps pour que tu tombes amoureux de moi.

À partir de ce moment-là, tu vas savoir pertinemment que tu pourras pas jouer la game, faire semblant, me faire poireauter. Parce que tu vas savoir que les filles comme moi, si tu les fais chier, elles te glissent des doigts.

À partir de ce moment-là tu vas commencer à stresser. À partir de ce moment-là tu vas commencer à avoir peur de me perdre. À partir de ce moment-là tu vas savoir qu'il pouvait vraiment arriver quelque chose de grave, ce soir.

Je te trouve beau. C'est un élément important de l'histoire.

Je te le dis, je vais te le murmurer à l'oreille plus tard, ce soir, quand on va être en train de fourrer, que tu vas être recourbé au-dessus de moi et que je vais être agrippée à toi, avec mes yeux plantés dans les tiens, mes mains autour de ton cou, et mes mollets serrés autour de ton dos : je te trouve beau. Je vais le répéter, plus tard. Ça va toujours être vrai. Mais tu vas jamais vraiment me croire, ni ce soir, ni jamais, pas complètement. Normal : jusqu'au cégep, on t'a beaucoup traité de gros laid. Normal que tu croies que je bullshite, quand je te dis que t'es beau.

Ça t'a pas empêché de pogner, remarque : t'as quand même été capable d'attirer des filles. T'as rapidement compris, au secondaire, que les ligues d'impro existent pour permettre aux gens moins beaux de fourrer, eux aussi.

T'es pas monstrueux, pas repoussant, t'as pas d'infirmité évidente ou des traits particulièrement irréguliers. T'es pas non plus obèse (une petite bedaine de bière, oui, un tout petit peu, mais rien de majeur), t'es pas trop grand ni trop petit. Dans une foule, tu ressortirais pas du lot. T'as l'air d'une photo stock. T'es *normal.* Un six sur dix. Mais au secondaire, c'était peut-être simplement un mauvais alignement d'étoiles qui t'a peinturé une cible sur le dos : des broches, des mauvais choix vestimentaires, un commentaire placé au mauvais moment, et pendant cinq ans, tout le monde décide que t'es le laideron de service.

T'es pas le genre de gars qui oublie vite : t'as entretenu une haine pour ceux qui ont passé ton secondaire à t'écraser. Mais surtout, t'as continué à les croire.

C'est pour ça que tu vas avoir du mal à me croire, quand je vais te dire que je te trouve beau. Une partie de toi va rester tapie dans l'ombre à croire que je caresse ta joue juste pour mieux te surprendre quand je vais décider de te gifler.

Les gens qui te traitaient de gros laid, au secondaire, t'avais l'impression de triompher sur eux quand t'arrivais à les faire rire aux larmes en montant sur la glace, pendant une game d'impro. Parce que là, au moins, tu pouvais choisir à quel moment et sur quels termes ils pouvaient rire de toi. Tu dois ta carrière au fait que tu t'aimes pas.

À cause de tout ça, tu seras pas game de sortir en public avec moi avant au moins un bon mois : tu vas vouloir attendre d'être certain que je suis pas en train de faire un bet, ou que j'attendais pas ma commande de verres de contact faque je savais pas vraiment de quoi t'avais l'air.

Tu vas m'emmener à une soirée où tu vas tester un nouveau numéro, au Terminal. Le doorman en bas va t'arrêter quand tu vas vouloir monter l'escalier pour te rendre à la salle :

— Scuse-moi, man, la salle est pas ouverte encore.
— Mais… je suis dans le show, tu vas dire.
— T'es dans le show ?
— Je suis 100 % dans le show.
— Mais je te connais pas.
— Tu connais-tu tous les humoristes de la ville ?
— Ben… je travaille ici, faque ouais.
— Ben j'ai présenté des numéros une couple de fois ici.
— Ça devait pas être marquant parce que je m'en souviens pas.

Je vais me rapprocher du doorman et dire, avec un sourire angélique :

— Y'est avec moi.

Le visage du doorman va s'illuminer.

— Ah ! Laurie ! Ben oui. Montez, montez.

Tu vas rester silencieux, en montant. Je vais déposer une main sur ton épaule et dire :

— T'es conscient que c'était juste un combat de coqs, hein ?
— En général, je suis pas très bon là-dedans.
— Ben de toute évidence, ça s'est bien passé à soir.
— À cause de toi.
— C'est un problème, ça ?

Je vais réussir à t'arracher un sourire.

Max Lap et Sam vont t'avoir vu monter l'escalier avec moi. Ils vont venir nous rejoindre au bar, pendant qu'on sera en train de commander. Sam va s'accoter sur le comptoir, les bras croisés, pour nous regarder tous les deux avec un sourire fendant :

— Comme ça, ça se donne encore, vous deux ?

Je vais répondre, avec un sourire en coin :

— Veux-tu que je te fournisse un registre de chacune de mes baises aussi ?
— Tu connais mon courriel. J'attends ça dans mon inbox demain matin neuf heures.

Sam va se retourner vers la salle, qui va être en train de se remplir tranquillement, avant d'ajouter :

— Tu risques pas de tomber en bas de ta chaise ce soir, j'ai rien de nouveau à présenter.
— Oh, c'est pas toi que je suis venue voir, mon beau. Je suis pas sur le payroll à soir.
— Déso, man, tu vas ajouter. Le monde tourne pas *juste* autour de toi.

Max Lap, gigantesque derrière Sam, va passer une pinte par-dessus l'épaule de Sam et la déposer dans sa main en disant :

— Là, laissez mon pauvre petit Sam tranquille, vous savez que c'est un sensible !

Max Lap va lever son verre. On va trinquer, tous les quatre, et prendre chacun une grosse gorgée de notre bière.

— Je m'enfuis dans' loge, tu vas me dire.

Je vais agripper ton bras avant que tu partes. T'attirer vers moi. Déposer un baiser sur tes lèvres. Tu vas regarder tout de suite autour de toi, comme si tu venais de commettre un acte immoral: embrasser en public une fille que tu considères comme dix fois plus belle que toi.

— Merde, je vais dire avec un sourire.
— Je le prends, tu vas dire avec un sourire. Assis-toi où tu veux, ou tu peux peut-être rester debout dans le fond si tu veux, je vais te rejoindre après mon number—
— Raph. Je viens dans des soirées comme ça trois fois semaine. Je pense que j'ai pas besoin d'un tour du propriétaire.

Tu vas échapper un rire.

— Ouais. Ouais, c'est vrai. All right, à tantôt.

Ça va sentir la poche de hockey, dans la loge. Sam va *encore* être en train de résumer le dernier épisode de *Joe Rogan* qu'il a écouté à Max Lap, qui va être en train de réviser son numéro sur son téléphone. André sera à l'animation, en remplacement de l'animateur habituel, qui aura mystérieusement « disparu » depuis un mois (Thomas va t'avoir glissé qu'il s'est en fait retrouvé à l'hôpital pendant quelques semaines après un épisode maniaque l'ayant mené à faire une offre d'achat sur une maison en Arizona).

Thomas va venir te rejoindre dans la loge. Il devra rester debout, comme toutes les places assises seront déjà prises.

— Raph! Tiens man, je t'ai amené une bière.

Tu vas caler la demi-pinte qui te restera et tu vas tout de suite commencer la nouvelle. Thomas va te dévisager avec un air suspicieux.

— Raph, lève-toi.

Tu comprendras pas trop, mais tu vas obéir.

— Tourne.
— What ?
— Tourne, Raph, je veux te voir de dos.

Tu vas jeter un regard vers Sam, André et Max Lap en roulant les yeux :

— Ça commence par une relation professionnelle, pis la prochaine affaire que tu sais, c'est que ton gérant est en train de te mater le cul.

Thomas va dire :

— Qu'est-ce qui t'arrive, Raph ?
— Quoi ?
— Je pars en vacances trois semaines pis tu te mets à changer de shape.
— Raph a découvert la sexualité, Sam va dire, faque y'est en train de fondre à vue d'œil.
— Ben non, tu vas dire en grognant, c'est juste que je mange un peu mieux pis je fume moins de weed depuis un petit bout.
— À cause d'une fille, Sam va ajouter.
— C'est très bien que tu prennes soin de toi, mais là, va pas me commencer des affaires de virer fou sur le fitness pis essayer d'avoir l'air d'Éric Bruneau, okay ? Les beaux gars, ça fait rire personne. Le monde qui viennent vous voir à soir, ils veulent pas bander sur vous, ils veulent que vous soyez leur beau-frère loud qui est ben drôle dans les partys de famille. Regarde

Katherine Levac : plus personne la trouve drôle depuis qu'elle a fondu.

— Thom. J'ai perdu cinq livres.

— Ils veulent que vous soyez le beau-frère loud qui est ben drôle dans les partys de famille une soirée de temps, pis pas repenser à vous après. Faut que vous soyez bons en petite quantité, pas que vous occupiez leurs rêves. Pis c'est qui, la fille pour qui tu décides de perdre cinq livres ?

— L'adjointe de Michel Forand, Sam va dire.

— Ah, pis en plus y décide d'aller coucher avec l'ennemi !, Thom va chialer.

Tu vas soupirer :

— Thom, come on !

— T'sais que tu vas pas réussir à convaincre Forand de te signer juste parce que tu couches avec l'assistante, hein ?

Sam va éclater de rire en te lançant une boulette de papier :

— Aie pas peur, c'est sûr que Forand signera pas Raph !

— Merci beaucoup de votre soutien, les boys, tu vas dire en roulant les yeux.

Ça va cogner deux fois à la porte, discrètement. La régisseuse va se glisser dans la loge avec vous.

— Standby cinq, c'est bon pour vous, les boys ?

André, qui va avoir passé la discussion penché sur son calepin, va relever la tête vers toi et les gars :

— Sam, je plogue ton rodage qui commence en janvier, as-tu d'autres trucs à ploguer ?

— J'ai mes chroniques à Rouge, mon TikTok pis mon Instagram. Pis mes chroniques à RDS.
— Parfait. Max, chaîne YouTube, pas de show à part ça ?
— Nope !
— Raph ?
— Euh, Instagram, I guess.

Sam va réprimer un rire en renâclant :

— Ton Instagram c'est trois-quatre photos de bouffe pis des stories de toi qui es en criss quand t'es pogné dans le trafic, Raph.

André va pas oser pas remettre Sam à sa place, mais il va au moins t'offrir un sourire compatissant. Tu vas dire :

— Rien à ploguer, André. Merci.
— Parfait, faque je rappelle que le pacing c'est Raph, Max, Sam, après ça c'est la pause, pis nos artistes de la deuxième partie, sont-tu arrivés ? J'ai Elena Miller pis Philippe-Audrey.
— Je les ai pas vus encore, non, la régisseuse va dire.
— Perf. Amusez-vous, les boys !

André va suivre la régisseuse hors de la loge. Thomas va te lancer, juste avant de sortir :

— T'es beau, t'es bon, t'es capable, Raph, à tantôt !

Max Lap va prendre une grosse gorgée de sa bière et laisser un ange passer avant de dire :

— Faque c'est-tu sérieux, avec Laurie ?
— Je sais pas, man. Ça fait genre un mois.
— Mais ça s'enligne-tu pour ça ?
— Si Sam arrête de me saboter, peut-être…

— Bon bon bon bon ! Tu le sais que je suis content pour toi, ma grosse !

Sam va t'avoir agrippé par derrière pour te serrer comme un ours, en disant ça. Il va perdre le contrôle de sa pinte, qui se renversera à moitié sur toi. Tu vas dire :

— Estie que t'es colon, man. Y a-tu quelqu'un qui a un t-shirt de rechange ?
— Je suis désolé, man, Max Lap va dire. J'ai fuck all.

Vous allez entendre la salle applaudir, André commencer son crowd work, de l'autre côté du mur de la loge.

— Bah, connaissant André, t'as une bonne demi-heure pour que ton t-shirt sèche. Son intro est toujours ben trop longue.
— All right, tu vas dire. À tantôt, les boys.

En mettant la main sur la poignée, tu vas ajouter :

— Prends-le pas personnel, Sam, ça se peut que je vienne vomir sur le stage pendant ton number.

Sam va répondre en t'envoyant un baiser soufflé et en te montrant son majeur.

Je vais accrocher ton regard dès que tu vas sortir de la loge. Tu vas regarder André réchauffer la salle en calant la bière que Thomas t'a apportée. Tu vas trouver une sorte de paix en même temps que tu vas arriver au fond du verre : en bas de deux pintes, le cœur a toujours envie de te sortir par la gueule, avant de monter sur scène, même pour un vulgaire numéro de cinq minutes au Terminal.

André va arriver à bien réchauffer la salle, sauf quand il va s'antagoniser une spectatrice clairement lesbienne en poussant un peu trop loin les jokes de truckeuse. Ton pouls va augmenter lentement à mesure que tu verras l'heure avancer. Business as usual, mais le business as usual est toujours dur sur le cœur. Quand André va avoir passé le cap des vingt minutes, tu vas savoir que t'es près de passer, et tu vas devoir te forcer à ralentir ta respiration.

— Il a fini l'École de l'humour y a bientôt deux ans, et le mieux que je puisse dire sur lui, c'est qu'il est très ponctuel mais pas très propre de sa personne : accueillez Raph Massi !

La salle va applaudir. Je vais me retourner vers toi et te lancer un clin d'œil. Tu vas traverser la foule, faire un high five à André en le croisant dans l'escalier et prendre le centre de la scène. Tu vas accrocher le regard de Thomas, qui va froncer les yeux. Tu vas te rappeler que ton t-shirt est à moitié trempé de bière et que tu peux pas faire comme si de rien n'était :

— Ouais, désolé pour mon look, j'allaite en ce moment, c'est ben salaud.

Ça va tirer un rire poli de la salle.

— Si quelqu'un a un conseil pour les montées de lait masculines, je suis preneur.

Ça rira encore plus fort.

— Si quelqu'un a envie d'aller allaiter mon petit dans' loge, ça serait super aussi, j'ai ben peur qu'y se mette à brailler pendant le show, ça serait ben malaisant.

Ton regard va tomber sur moi.

— J'ai amené ma date au show ce soir, dites-y pas que j'ai un flo.

Ça va me tirer un sourire. D'un coup, tu vas sentir ta colonne se redresser et une sorte de chaleur se diffuser dans ton ventre. T'auras l'impression d'avoir suffisamment justifié ton t-shirt mouillé, et tu pourras pivoter vers ton numéro. Ça va se passer assez bien, sauf pour un détail: tu vas avoir beaucoup de mal à décrocher ton regard de moi. Parce que tu vas savoir qu'à défaut d'être assez beau pour moi, il faudra au moins que tu sois capable de me faire rire.

La salle va rire. La salle va beaucoup rire. Mais ça, tu seras pas trop certain de t'en être rendu compte, parce que tu vas avoir donné ton show dans un twilight zone, un monde parallèle où je suis la seule personne dans le public.

Quand on va mettre le pied dehors, à l'entracte (parce que tu voudras pas rester pour la deuxième partie, ni moi non plus, d'ailleurs, ça sera urgent de rentrer à la maison pour baiser), tu vas immédiatement dire:

— T'es pas obligée d'aimer ça, hein. Le numéro.
— Okay. Mais si je te dis que j'ai aimé ça, vas-tu me croire?
— Je sais pas. Essaye donc, voir.

Je vais prendre une inspiration et te regarder dans les yeux.

— Je t'ai vraiment trouvé bon.

Je vais m'approcher de toi et monter sur la pointe des pieds pour te donner un bec, doucement, sur les lèvres.

— Mais… t'sais ce qu'ils disent, sur voir le monde sur scène ?
— Quoi ?
— Faut pas triper sur quelqu'un juste parce qu'on l'a vu sur scène, parce qu'on va être déçu quand on va le voir au quotidien.
— Écoute. Ta première impression, c'était de me faire le pire shot de vodka pickle de l'histoire, faque à partir de là, ça peut juste aller en s'améliorant.

Tu vas voir, loin derrière moi, Elena avancer rapidement sur le trottoir, au coin de la rue, presque au pas de course, dans notre direction. En nous voyant, elle va dire, essoufflée :

— Est-ce que c'est recommencé ?
— Non, non, tu vas dire. C'est encore l'entracte.
— Y se sont trompés dans le lineup du Jockey pis y m'ont fait passer en troisième, je pensais que je me rendrais pas à temps ici, estie.

Elle va s'arrêter un instant quand elle va me reconnaître, avec l'air de résoudre une opération mathématique compliquée nous impliquant toi et moi, puis :

— Ah. Laurie. Salut !

Elle va te lancer un sourire complice, presque impressionné, puis va se diriger vers la porte :

— Bon, faut que je fly, moi !

Elle va s'arrêter en posant la main sur la poignée et se retourner vers toi :

— Est-ce que Sam est encore en haut ?
— Je pense, ouais, tu vas dire. Pour ?

Elle va froncer les sourcils, l'air un peu soucieux.

— Rien. Bonne soirée, là !

Elle va s'enfoncer dans le bar, nous laissant tous les deux flottant dans une bulle sur Mont-Royal. Une neige fine va avoir commencé à tomber autour de nous. Les lumières de Noël vont scintiller autour. Le temps va être frais, mais pas trop. Tu vas sortir de ton corps, un instant. Te voir de loin, devant moi.

Ça va te frapper comme une vague assez forte pour te jeter à terre : t'as toujours rêvé de ce moment-là. T'as toujours rêvé du jour où tu rencontrerais une fille qui te ferait rêver et que tu ferais rêver, tu t'es projeté dans ce moment-là pour adoucir ta souffrance et ton ennui d'adolescent. À ce moment-là, précisément, le futur et le présent vont se rencontrer. Tu vas être à la bonne place au bon moment. Ça va te chatouiller l'intérieur soudainement et tu pourras pas t'empêcher de dire :

— Je t'aime, Laurie.

Quelque chose va bouger, dans le coin de mes yeux : une légère contraction. Mais je dirai rien. Je vais me contenter de t'embrasser.

Ça suffira pas : tu vas passer le reste de la soirée à ruminer dans ta tête, à te dire que t'es allé trop vite, que tu m'as brusquée, que t'as perdu ton cool. Et je vais pas t'aider : je vais faire comme s'il était rien arrivé d'inhabituel. Mais c'est grave de dire à quelqu'un qu'on l'aime et de rien entendre en retour. C'est la fin du monde.

C'est le problème auquel on fait face, quand on est avec moi : faut apprendre à naviguer dans le noir. Claire va te dire ça, une fois, quand tu vas la croiser après que je t'aurai laissé : *c'est pour ça qu'on l'aime, Laurie. On a toujours l'impression qu'elle est parfaitement neutre, mais il y a tellement de choses cachées sous la surface.* Tu vas vouloir lui hurler que non, que c'est pas beau, que tout soit caché, parce que la seule fois où tu vas oser creuser sous la surface, je vais te laisser.

Je vais finir par te dire que je t'aime, évidemment que je vais finir par te dire que je t'aime, sinon je t'accaparerais pas toute la soirée pour te raconter ce que je suis en train de te raconter. Ça va te paraître vrai, je vais avoir l'air sincère, et je vais le répéter, je vais le dire souvent même. Mais la seule façon de t'amener à croire, hors de tout doute, que je t'aime vraiment, ce serait que la planète entière le dise en chœur avec moi. Et ça, ça pourra pas arriver. Même si tu vas travailler fort pour que ça arrive.

Ça fera quand même son effet, quand je vais te le dire. On va être en train de faire l'amour pour la troisième fois de la journée, un samedi où on aura traîné trois heures au lit le matin avant de se forcer à sortir de la maison pour déjeuner et prendre un peu de soleil, avant de revenir à la maison en vitesse parce qu'on n'aura pas trouvé de meilleur endroit pour baiser.

Je vais échapper ça en jouissant. *Je t'aime.* Sur le souffle. Presque involontairement.

Au lieu de te soulager ça te tirera des larmes. Tu vas ramollir et t'arriveras pas à finir. Tu vas te recroqueviller et ton dos va se mettre à se soulever violemment. Je vais murmurer en te flattant doucement :

— Ça va ?

Tu seras pas capable de répondre. Parce que la seule réponse que tu pourrais me donner serait absolument méprisable.

Si tu pouvais me répondre, tu me dirais que t'aurais voulu que je t'aime plus fort et plus vite. Pour que tu fondes pas en larmes, il aurait fallu que ce soit moi qui t'aie dit *je t'aime* en premier.

T'es pas bon avec les émotions. Toi, t'es bon dans les interactions humaines quand il y a plus que trois personnes. La conversation, c'est pas ton truc. Ton mode de communication par excellence, c'est te donner en spectacle. Alors à partir de ce moment-là, tu vas te rabattre sur ça.

On va faire ce que les couples normaux font: cet été-là, tout le monde va aller à Berlin et, pour faire partie des cool kids, on va faire pareil. On va se prendre un beau Airbnb dans Kreuzberg et on va se louer deux fixies pour faire le tour de la ville. On va en faire deux fois et dépenser trois cents euros de taxi pour les autres déplacements même si on pourra pas se le permettre.

Je vais te laisser prendre des photos de moi, pis je vais même te permettre d'en mettre une ou deux sur Instagram, pour flexer ton voyage, mais surtout pour flexer le fait que ta blonde est incroyablement, parfaitement, violemment belle, au point où tu la regardes et ça fait mal, ça te brûle de l'intérieur et ça te fend de partout. Une photo de moi dans la Badeschiff, appuyée sur le rebord de la piscine, de dos, presque l'air de flotter dans l'eau crasseuse du canal juste devant nous, regardant la ville au loin. Une photo de moi avec une bière dans un bar au bord de l'eau, la tête juste un peu penchée, les yeux juste un peu éteints, pour ne pas avoir l'air de trop vouloir. Une photo de moi qui regarde le karaoké, avec des centaines d'autres personnes, au Mauerpark.

Parce que ça fait partie de l'expérience, parce qu'il va falloir l'avoir fait, même si c'est pas du tout ton genre, tu vas accepter de venir faire la file pour entrer au Berghain avec moi. J'aurai pas eu à te tordre un bras: tu vas avoir présumé que c'est important pour moi parce que je vais l'avoir mentionné une fois, pis comme toujours, tu voudras tout faire pour me plaire.

On va avoir beaucoup de temps pour observer le protocole d'admission, parce qu'on va faire la file pendant une heure et demie. Ils accepteront à peu près un groupe sur deux. Tu vas te motiver mentalement à ne pas bougonner du reste de la soirée si jamais on n'est pas admis. Quand on va arriver devant le bouncer, il va nous regarder quelques secondes, il va faire durer le suspense, probablement parce ça sera le seul avantage notoire de sa job, le pouvoir de vie ou de mort qu'il va détenir sur la soirée d'un pauvre couple de touristes canadiens qui n'ont rien demandé à personne, puis, avec un grand sourire, il va pointer derrière lui en disant :

— You're in.

On va monter quelques étages d'escaliers, dans un décor correspondant précisément à l'expérience qu'un touriste espère d'une soirée dans un after berlinois : une hygiène discutable, un bouquet d'odeurs rassemblant l'urine, la bière desséchée, la clope et peut-être des relents acides de vomissure, un éclairage clair-obscur aux abus de gélatines jaunes et mauves, et la basse, puissante, qui va gagner en intensité à chaque étage.

Des soirées comme ça, t'aurais pu en trouver à Montréal, mais ça sera pas vraiment ça, la question. De toute façon, tu seras même pas là parce que tu vas en avoir envie. Les clubs t'aimes pas vraiment, parce que ça favorise le monde beau qui parle pas beaucoup, alors que t'es le contraire. Tu vas te sentir obligé de forcer un intérêt, voire un enthousiasme, pour le nightlife, parce que *moi* j'aime ça, pis que tu vas croire qu'une divergence d'intérêts entre nous deux pourrait suffire pour que je veuille t'abandonner.

Quand on va trouver la porte qui mène à la pièce principale, la musique va nous frapper comme une vague. Ça sera violent et ça sera bon et ça sera exactement ce que je cherche. Tout va devenir compliqué : bouger, boire, se comprendre. Clubber pis aller en camping, au fond, c'est un peu la même chose : se compliquer la vie pour reconnecter avec l'essentiel. Tu détestes les deux tout autant.

Je vais arriver à trouver le chemin du bar, en me glissant à travers le tapon de monde humide. On n'aura pas bu, avant, pis je vais mentionner que je suis étonnée de voir combien c'est facile, finalement, de se déplacer dans un club quand on n'a pas bu. Je vais nous sortir deux bières. On va trouver un trou dans la foule, au milieu de la piste de danse, dans lequel s'insérer.

T'auras pas de plaisir, mais tu vas pas te sentir capable de me le dire. Tu vas penser que t'aurais besoin de quelque chose de plus, pour être capable de tolérer l'idée d'être dans un aussi gros club.

Tu vas gueuler, par-dessus la musique :

— Veux-tu faire de la drogue ?

Je vais éclater de rire.

— Je suis sérieux !
— T'es malade ! T'as passé la frontière avec de la drogue ?
— Ben non ! Mais je veux dire, ça doit se trouver, ici, non ?

— T'as pas peur de te faire donner de la shit pis qu'on se ramasse à l'hôpital ?
— De un, je pense pas que ça a plus de chances de nous arriver ici qu'à Montréal, pis de deux, si ça arrive, ça va faire une christie de bonne histoire, faque je ferai un number là-dessus !

Ça va me faire sourire :

— Pas sûr que c'est très relatable, comme histoire.
— Y a moyen, je pense. De rendre ça drôle.
— Pour ça, faudrait que tu survives.
— Oh, je pensais pas mourir. Juste une petite psychose.
— Faque on fait quoi ?
— On va prendre ce qu'on trouve ! Je reviens, okay ? Je vais aller faire un tour aux toilettes, je te rejoins ici !

Je vais lever ma bière avec un sourire. Tu vas t'éloigner, en gardant les yeux sur moi le plus longtemps possible avant de te détourner. Tu vas surmonter ton dégoût des corps humides pour te trouver un chemin vers un coin plus clairsemé et tu vas monter le premier escalier que tu vas trouver. Tu vas être trop orgueilleux pour demander le chemin vers les toilettes, évidemment. Tu vas te perdre dans un labyrinthe presque complètement noir : tu vas déboucher sur l'entrée, revenir sur tes pas, te retrouver dans la pièce principale, puis, en prenant un autre virage, dans une sorte de salon où tu vas voir des cadavres étendus dans des poufs, puis, finalement, dans les toilettes mixtes, deux longues rangées de cabines qui vont s'étirer à l'infini jusque dans le noir, sur ta gauche et sur ta droite.

Tu vas te rappeler que Sam t'a déjà dit qu'on peut facilement trouver de la drogue dans toutes les toilettes de club. Sam est toujours une bonne référence, pour ces choses-là. Ses instructions vont s'être arrêtées là, malheureusement : tu sauras pas exactement quoi faire une fois dans les toilettes.

Tu vas venir t'appuyer contre le mur, pour observer les allées et venues dans les cabines. Tu vas remarquer une rousse souriante entrer dans une cabine avec une autre fille. Une minute et demie plus tard, elle va en ressortir et venir s'appuyer contre le mur, juste à côté de toi. Tu vas être pris d'un trac. Ça sera pas l'illégalité ou la dangerosité de la situation qui vont te stresser. Non, évidemment, la seule chose à laquelle tu vas penser, c'est de quoi t'as l'air. Tu vas avoir peur d'avoir l'air idiot, ou d'avoir l'air d'un prédateur, ou d'un drogué qui prend tout le monde pour des drogués. Mais tu vas réussir à faire taire la petite voix dans ta tête qui te répète toujours que tu vaux rien, et en ramassant tout ton petit change, tu vas dire :

— You have anything to sell ?

La fille va se tourner vers toi, toujours très sympathique, souriante, l'air professionnelle, service-à-la-clientèle. L'air des filles bienveillantes qui travaillent chez Lush et qui te massent la main avec un hydratant pour le visage sans te lâcher des yeux en te vantant les vertus de l'huile de jojoba et de l'écorce d'ananas. L'air des filles saines et calmes et équilibrées que tu rêverais d'être.

— Sure. Come with me.

T'as jamais acheté de drogue à un étranger. Ça va être ta première fois. La fille correspondra pas exactement à l'image que tu te fais d'un dealer : pas de poches sous les yeux, une peau lisse, de belles dents. Un casting de pub de yogourt. Elle va te prendre par la main et te tirer vers une cabine. La toilette va avoir débordé. Vos semelles vont clapoter dans les quelques millimètres d'eau de toilette accumulée au sol.

— I'm looking for, uh…

En parlant, tu vas voir la caméra imaginaire pointée vers toi reculer, montrer une vue aérienne du club, puis du quartier, puis de Berlin, puis de l'Allemagne, puis de l'Europe, puis de la Terre, jusqu'à ce que tu deviennes un point minuscule. Ton idée d'acheter de la drogue à une étrangère dans une ville étrangère va paraître complètement conne, tout d'un coup. Tu seras pas capable de finir ta phrase. Elle te laissera pas chercher tes mots :

— I have MDMA.
— Uh, sure. I'll have two of those.
— They're ten euros each.

Tu vas pas avoir la moindre idée de la valeur d'une pilule de MDMA et tu vas t'en foutre complètement. (Si jamais tu te souviens de notre conversation de ce soir, un conseil : en haut de sept euros, tu te fais fourrer.) Tu vas ouvrir ton portefeuille pour trouver le bon billet. Voyant que tu connais mal tes euros, la fille va te pointer un 20 euros.

Elle va déposer les deux comprimés dans ta main, sans sachet, en te remerciant. Tu vas sortir de la salle de bain presque au pas de course. Tu vas arriver à retrouver ton chemin vers le dancefloor, inquiet que j'aie peut-être bougé de là, que tu doives passer le reste de la soirée à me chercher, en stressant sur la possibilité de perdre les deux comprimés que tu tiens serrés dans ta main et qui finiraient inévitablement par fondre. Mais je vais être là. Debout, flottante, au milieu de la foule, sous un projecteur, te souriant de loin.

Tu vas t'approcher de moi. Tu vas ouvrir ta main. Tu vas dire :

— T'sais que j'ai jamais fait ça.
— Moi non plus.
— On était où, coudonc, quand tout le monde faisait ça au secondaire ?

Pour toi, la réponse est simple : t'étais en train de te cacher dans le fond de la bibliothèque. T'étais pas le genre de gars qu'on invitait dans un party.

Je vais gueuler par-dessus la musique :

— Je pense que les filles qui faisaient ça au secondaire sont en train de donner le sein, en ce moment, faque c'est un mal pour un bien !

Tu vas ressentir un petit chatouillement dans le fond de ta gorge, un tressaillement dans ta colonne, ta tête qui s'allège de quelques grammes : l'excitation avant de faire un mauvais coup. On dit que le contexte compte pour presque tout, dans un bon trip de drogue, que oui, la qualité de la production évidemment ça compte, mais qu'à qualité de stock égale, deux consommations peuvent aller dans des directions complètement différentes selon la présence ou l'absence des conditions gagnantes.

Tu vas avoir honte de jamais avoir fait de MD, avant : si on se fiait à toi, il devrait jamais y avoir de première fois à rien. Tu rêverais d'être né infusé de la somme de tous les savoirs de l'humanité, parce qu'apprendre, découvrir, c'est honteux : c'est la preuve qu'on était ignorant.

— Si tu le fais, je le fais, tu vas dire.
— Si tu le fais, je le fais, je vais répondre avec un sourire.

On va avaler nos pilules en se regardant dans les yeux. On va les faire descendre avec une gorgée de bière.

Ce qui va être extraordinaire c'est que quand ça va embarquer, tu vas savoir immédiatement que tu t'es jamais senti aussi heureux.

Ce qui va être malheureux c'est que des années plus tard, tu vas continuer de dire que tu t'es jamais senti aussi heureux qu'à ce moment-là. Mais tu vas te dire *c'est normal.* Tu vas te dire *la vie c'est des hauts pis des bas.* Tu vas te dire *la vie c'est une courbe pis elle est jamais pareille pour personne.* Pis tu vas te dire que peut-être que ta vie à toi elle est comme ça : la crête d'une vague immense, exaltante, que tu vas surfer avec moi, et pis après, un ressac. Un très long ressac qui te tire loin de la côte, qui te barouette de tous les côtés, qui te fait caler. Pis tu vas te dire que même si un jour une autre vague revenait, elle serait jamais aussi haute que la première. Tu vas te dire que peut-être que la seule chose qu'il va te rester à faire, ça va être d'accepter ça.

Mais ça sur le moment tu pourras pas y penser. Non.

Sur le moment tu vas me regarder et le feu va prendre. Du néon va te couler dans les veines. Ta tête va se détacher de ton corps. Tu vas voir les étoiles de partout. Tu vas être amplifié. Ta peau va capter toutes les vibrations. Les miennes, surtout.

Ta main va trouver ma joue. Je vais me matérialiser devant toi. Et peut-être que je vais avoir l'air tentée de te demander ce que tu fais un instant, mais en regardant dans tes yeux je vais comprendre qu'on fait la même chose, qu'on est ensemble, et j'aurai pas besoin de poser de question, je vais me taire et je vais juste te regarder. Tu vas être parfaitement, extraordinairement, irrémédiablement heureux : une adéquation parfaite de temps, d'espace, de moi. De moi.

On va se perdre dans un océan de son et de lumière. Le reste de la soirée va devenir liquide : les moments vont s'enchaîner fluidement, le temps va devenir circulaire, sans début ni fin. Tu vas être suspendu au-dessus du dancefloor, la musique et l'éclairage vont alléger la gravité. Par moments, tu vas réaliser que t'es ailleurs, comme lorsque tu vas te sentir poussé à dire au barman, en commandant deux verres, qu'il est absolument magnifique. On va passer ce qui pourrait être quelques minutes, ou quelques heures, enlacés, presque immobiles, au milieu de la foule. Tu vas devoir te retenir de me serrer trop fort, de peur de me casser en deux. Tu vas avoir mal au visage tellement tu vas sourire. Tu vas arrêter de me serrer juste pour me regarder parce que t'en reviendras pas de combien je suis belle. Tu voudras être nulle part ailleurs. Tu vas t'entendre dire :

— Veux-tu m'épouser ?

Un sourire va se dessiner sur mon visage. Puis je vais éclater de rire :

— T'es malade ! Pantoute !

Tu vas te forcer à éclater de rire, pour virer ça en joke. Ça aura pas été une joke. La drogue suffira pas pour endiguer la vague de honte qui va t'envahir : évidemment que j'allais pas dire oui à ça. Ton regard va se perdre dans la foule pendant quelques secondes, le temps que tu t'imagines t'envoyer un jab au visage d'avoir commis une erreur de débutant comme ça.

— Raph ? J'étouffe !
— Quoi ?
— J'étouffe !
— Qu'est-ce que je peux faire ?
— Je veux sortir !
— Non ! On est bien, ici ! Come on, reste !
— Non, je te dis ! Faut que je sorte d'ici, j'étouffe !

Et parce que même très high, tu vas te rappeler que t'auras jamais le luxe de pouvoir me contrarier, tu vas accepter de me raccompagner vers la sortie, en tenant ma main, et quand on va pousser ensemble la porte menant à l'extérieur, tu vas réaliser que le temps a passé beaucoup plus vite que tu le croyais : la lumière va inonder la pièce comme un barrage qui éclate, et on va déboucher sur une journée magnifique, un ciel bleu éclatant, un soleil levé depuis quelques heures déjà. Tu vas dire :

— Es-tu correcte ?

— Oui. Fallait juste que je sorte.
— T'étouffes plus ?
— Non, non. Ça va.

Tu vas me serrer dans tes bras. Ça sera plus pour t'assurer que je parte pas à la course que pour me démontrer une réelle affection.

On va retourner vers notre Airbnb en s'arrêtant à toutes les deux minutes pour contempler tout ce qui va croiser notre chemin : on sera devenus des enfants. À pointer le ciel et le gazon et tous les bâtiments sur notre chemin en s'exclamant que c'est magnifique.

Et sur la rue, dans un quartier vraiment laid que tu pourras pas identifier parce que tu seras trop gelé pour comprendre le fonctionnement de Google Maps, en marchant devant moi, tu vas réaliser que l'effet de la drogue va se dissiper tranquillement. En me voyant, les yeux mi-ouverts, la mâchoire pendante, les cheveux croches comme des barbeaux, tu vas pas pouvoir t'empêcher de hurler de rire parce que tu vas réaliser combien notre nuit va m'avoir arrachée. Tu vas me demander d'arrêter un instant, le temps de prendre une photo.

Tu vas me cadrer juste au milieu. Le ciel derrière moi va être parfaitement bleu, impeccable, sans un nuage. Il va y avoir un immeuble résidentiel est-allemand derrière moi. Je vais être voûtée. Mon visage va être cadavérique.

T'effaceras jamais cette photo-là. Au début, tu vas la regarder parce que tu t'ennuies de la fille sur la photo. Après, tu vas la regarder parce que tu t'ennuies de celui qui a pris la photo.

J'ai pas de réelle expérience en humour: j'ai testé quelques numéros dans des open mic, juste pour voir, et j'ai auditionné à l'École de l'humour (la même année que toi, d'ailleurs, on se serait retrouvés dans la même classe, avec Max Lap et Sam et André et Elena et Thomas, quand je vais te dire ça tu vas nous imaginer un présent alternatif, dans lequel on serait un power couple d'humoristes depuis l'École), sans y entrer, mais le jury m'a dit que j'écrivais bien malgré une présence scénique à travailler. Ils m'ont suggéré de revenir et de m'essayer dans le programme d'écriture, et je l'ai pas fait, finalement, parce qu'en prenant la job chez Forand, et en gérant des humoristes qui roulent à fond la caisse, j'ai fini par mettre mes propres envies en veilleuse: quand ta job, c'est d'aider l'ego des autres à fleurir jusqu'à prendre des proportions monstrueuses, il reste plus beaucoup de place pour ton ego à toi.

Je vis bien avec ça, je vais continuer de bien vivre avec ça. Je suis pas une personne qui garde beaucoup de regrets, en général. Mais toi, tu digéreras pas ça: tu vas me répéter que c'est un gaspillage d'intelligence, de déployer toute mon énergie à rédiger des courriels et à m'assurer que Sam et les autres clients de l'agence manquent pas de rendez-vous et respectent leurs deadlines. Ça sera une bonne distraction: pendant que tu vas être préoccupé par ma carrière à moi, ça va te permettre d'oublier que la tienne fait du surplace depuis ta sortie de l'École et que c'est pas normal de payer systématiquement ton loyer en retard alors que Sam vient juste de déposer une offre d'achat sur un condo et de s'acheter une Subaru neuve.

On va être en train de déconner, toi et moi, nus dans le lit, un samedi matin à presque onze heures, à nous moquer du numéro qu'on va avoir vu la veille, et à énumérer toutes les raisons pour lesquelles le gars qui avait fait son sept minutes sur comment choisir une variété d'œufs à l'épicerie devrait être banni de toutes les scènes du Québec. On va créer ensemble une liste de tout ce qui devrait être interdit dans un numéro d'humour (commencer une blague sur le quotidien avec « avez-vous déjà remarqué »; toute mention de camping, d'automobile, de magasinage; interrompre le public en disant *là je sais vous allez me dire* alors qu'on sait bien qu'il n'allait rien dire; et quarante-sept autres no-go), et entre deux fous rires provoqués par un mélange de notre symbiose mentale, de surprise quand on arrivera à trouver de nouvelles idées encore plus connes et du fait que tu seras à genoux par-dessus moi, en train de m'immobiliser pour me chatouiller les côtes avant que je riposte en te poussant puissamment et en te vargeant dessus avec un oreiller, tu vas trouver ton souffle, tu vas décrocher ton regard du mien et tu vas dire, en regardant le plafond :

— On devrait vraiment écrire ensemble.

L'idée sera pas si folle : nos vies vont déjà être emmêlées à un point tel qu'on aura perdu la trace de la frontière qui marque là où je commence et où tu finis.

Nos cerveaux vont avoir fusionné : on va avoir passé beaucoup de temps à écouter des films et des séries ensemble entre deux baises en fumant un joint, et tu vas avoir discrètement essayé de lire chacun des livres que je vais mentionner pour surmonter ton complexe de détenir un diplôme de l'École de l'humour alors que j'ai un bacc en littérature, et on se sera accompagnés mutuellement à tellement de shows qu'on va pratiquement pouvoir détecter l'apparition d'une idée chez l'un et chez l'autre avant même que la décharge électrique ait le temps de voyager d'un neurone à un autre et que l'idée ait eu le temps d'être verbalisée. Ça va prendre juste un regard, une inclinaison de la tête, la simple contraction d'un minuscule muscle du visage pour qu'on se comprenne. Le plus souvent, ça va être pour exprimer de la colère, ou du jugement. On se sentira jamais aussi unis que quand on aura un ennemi commun : la personne trop loud dans un souper, ou celle qui parle à travers son chapeau, ou l'humoriste nul qui rit de ses propres blagues pendant une soirée. Alors non, ça sera pas si farfelu, l'idée de travailler ensemble.

On sera ensemble depuis dix mois, quand tu vas dire ça. Ça sera plus intime encore que ta demande en mariage au Berghain : c'est beaucoup plus facile de divorcer que de briser un contrat de travail, surtout quand il a jamais été signé et qu'il consiste en une entente informelle.

Tu vas descendre les yeux vers moi : tu vas avoir levé les yeux justement parce que c'est gênant de me demander ça. Plus gênant encore que de me dire que tu m'aimes. Je vais prendre un temps, avant de répondre. L'air de réfléchir. Et ça va te briser en deux parce que tu vas réaliser que tu ne peux pas lire mon visage quand je réfléchis, que j'hésite, que je pèse le pour et le contre. Je vais dire, le plus sérieusement du monde :

— Oui.

Je vais d'abord te pousser à développer ta présence web.

— Je sais que c'est important, tu vas dire, c'est juste que je suis nul avec la technologie.
— C'est pas grave. Je vais t'aider pour le montage, j'en ai appris un peu, au bureau ça m'arrive de faire du Final Cut pour sortir des extraits de show ou d'entrevue pour les artistes de Forand. Pis t'sais, si t'as des conneries qui te viennent en tête, fais une story, c'est pas grave si c'est pas la joke du siècle, au moins ça va te mettre out there. Regarde Max Lap, ça l'a mis sur la map.
— Si je pouvais ne pas prendre autant de poids que lui, ce serait super.
— Y a d'autres moyens d'avoir des clics qu'en mangeant du poulet frit, t'sais.

Tu vas reprendre un personnage de brigadier vulgaire que t'as créé à l'École. On va tourner des capsules à l'arraché, sans moyens. On va placer une caméra sur un trépied au milieu de la rue et tu vas essayer de faire des prises sans te faire arrêter ni frapper. Quand tu vas te faire avertir tu vas simplement changer de quartier. Ça va être pas mal. Éventuellement tu vas mettre un peu d'argent pour louer du matériel qui a de l'allure et engager un minimum de crew.

Tu vas demander à Max Lap et à André de faire des caméos dans tes vidéos. Même si ça va te coûter de te mettre à genoux devant lui, tu vas finir par demander à Sam, aussi. Quand tu vas mettre en ligne la vidéo où Sam joue un gars de la construction qui s'engueule avec toi, tu vas topper les cent mille views. Sam va être content de souligner qu'il va t'avoir attiré beaucoup de ces views.

Je vais demander à nos plus gros artistes chez Forand de faire des caméos dans tes vidéos. Ça va t'aider. Ça va te donner un boost. Après quelques mois, tu vas avoir réussi à attirer au moins une dizaine de milliers d'abonnés sur ta chaîne YouTube et ta page Facebook.

On va avoir l'idée ensemble de créer des tutoriels. Ça, ça va lever beaucoup. Tu vas te créer un personnage d'expert en tout, et on va créer des parodies de vraies vidéos de maquillage, de rénovation, de cuisine, de méditation qu'on trouve partout en ligne. Ça va beaucoup circuler.

Je vais finir par me mêler de tes textes de stand-up, aussi.

On fera pas de séances de travail à proprement parler : notre vie va être un constant ping-pong de conneries. Le principal défi, ce sera de prendre des notes : tu vas passer près de faire une sortie de route sur la 138 quand on sera partis en road trip dans Charlevoix parce que tu vas vouloir noter sur ton téléphone le bit qu'on va venir de s'imaginer sur les séances photo de courtiers immobiliers. Tu vas te faire engueuler une fois à l'épicerie parce que tu vas t'être arrêté au milieu d'une allée pour noter l'anecdote que je vais t'avoir racontée sur ma grand-mère qui était devenue vraiment beaucoup trop curieuse quand ma cousine lui avait révélé qu'elle était lesbienne.

On va arriver à faire du bon travail, ensemble. En moins de deux mois on va avoir écrit au moins deux bons numéros : un guide des choses à ne pas faire dans un numéro d'humour (trop méta pour un show mainstream, je vais te dire, mais dans une soirée d'humour, devant un public averti, ça va bien passer), et un guide de survie pour interagir avec des personnes âgées (avec des blagues sur ma grand-mère cochonne, et des façons de rendre plus excitante une visite à une grand-tante en perte d'autonomie dans un CHSLD).

Ça va marcher vraiment bien. Tu vas les rouler dix fois chacun dans des soirées, pis sans t'avertir, Thomas va venir te voir un soir à Longueuil. Il va être assis avec un gars que tu connais pas, un boomer un peu douche avec une poignée de vise grip et une voix de gars qui a quatre couilles.

— Lui c'est Daniel, Thomas va dire.

Daniel va te serrer la main.

— Salut, Raphaël. J'aimerais ça qu'on prenne un meeting, nous trois, pour parler de ton premier one-man show.

Le gars va avoir son bureau sur la Rive-Sud, dans le Vieux-Longueuil. Thomas va insister pour t'offrir un lift : à défaut d'être le meilleur gérant en ville, il est toujours serviable, Thomas.

Il va sortir de la voiture quand tu vas passer la porte de ton appart, et il va s'écrier, pour que tu l'entendes en descendant l'escalier du deuxième :

— WE HAVE A WINNER !

Il va te sauter dessus et te frotter le crâne avec son poing. Tu vas le repousser et le soulever en poche de patates pour te venger.

— Stop ! Stop ! Décrisse pas ma chemise !

Tu vas le poser par terre et il va replacer soigneusement sa chemise dans son pantalon. Il va avoir mis son veston des grandes circonstances, mais avec une chemise à motif fleuri, quelque chose de probablement acheté par sa blonde au Simons pour un mariage, pour avoir l'air juste ce qu'il faut de casual.

Ça sera pas casual du tout, pour Thomas : tu vas être son premier artiste à signer avec un producteur. Il arrivera pas à se décoller le sourire du visage.

— Je suis fucking fier de toi, man.
— Thomas. Rien est signé.

— Non. Mais c'est big. Profites-en, man !

Sa voiture va avoir l'air fraîchement lavée, comme toujours. Y aura deux cold brews dans les porte-gobelets entre lui et toi. L'habitacle va être imbibé de son parfum, quelque chose de frais, mentholé, herbacé, qui est bon sur papier, mais juste un peu criard. Une odeur qui dit *excusez-moi je sais que je sens fort mais je suis là pour signifier que mon propriétaire se soucie beaucoup de son hygiène corporelle, et que par extension, il veut que vous déduisiez qu'il est une personne consciencieuse, rigoureuse, à son affaire.* Thomas fonde une grande partie de sa personnalité sur son hygiène corporelle.

Ça va te faire penser à mon odeur, que tu vas être capable d'invoquer, à ce moment-là, comme on se souvient d'une chanson ou d'un paysage. Tu pourras pas t'empêcher de sourire. Thomas, voyant ton expression, va te sourire en retour.

— Je t'ai pris un cold brew, je me suis dit qu'y faisait encore chaud. Mais si tu veux autre chose on arrête, hein. J'ai pas pris de bouffe, je me suis dit qu'on mangerait après, pis anyway manger avant un meeting j'haïs toujours ça. On veut pas avoir de bouffe entre les dents devant lui, t'sais.

Je vais t'avoir félicité le matin même, encore à moitié endormie, en déposant un bec sur ton front. Tu vas m'avoir dit que j'y suis pour autant que toi. Ça va m'avoir fait sourire.

— Travailler avec Daniel, c'est le best case scenario, man ! Ce gars-là est pas cheap, il va s'arranger pour mettre

l'argent à la bonne place, que la visibilité soit bonne, pis y'a des bonnes relations avec les diffuseurs... Pour vrai, je pense que ça peut être bon.
— Ta job, c'est pas de toujours le considérer comme un crosseur potentiel ?
— Ma job, c'est aussi que t'aies jamais à penser à ça.

Vous allez arriver quinze minutes avant l'heure du rendez-vous. Thomas vous fera faire un tour de bloc de dix minutes, exactement, pour éviter d'arriver trop d'avance, d'attendre comme des idiots dans une salle d'attente dont on sait pas si elle est confortable, adéquatement climatisée, bien insonorisée. Faut jamais se laisser contaminer par l'ambiance d'un endroit qui pourrait potentiellement ne pas être accueillant.

L'immeuble sera pas très beau, mais il va être frais rénové et les meubles vont avoir l'air d'avoir coûté très cher, et c'est peut-être tout ce qui compte, dans le design du bureau d'un producteur : avoir l'air de faire assez d'argent pour se payer un bureau qui coûte cher, même si on pourrait travailler dans un sous-sol pas fini (parce que vraiment, être producteur, ça demande surtout de passer des semaines entières au téléphone, et le prix du mobilier change pas grand-chose au taux de succès de ces appels-là).

La réceptionniste va avoir à peine le temps de te dire bonjour que Daniel va sortir de son bureau et venir te serrer la main, en te regardant intensément dans les yeux et en mettant, étrangement, une main sur ton épaule. Quelque chose de paternel, comme.

— Très content que t'aies accepté de venir me rencontrer, mon gars !

Tu vas lancer un regard à Thomas, l'air de dire *mais qu'est-ce que tu voulais que je fasse d'autre, je demande que ça depuis deux ans*, mais Thomas sera trop occupé à baver devant Daniel comme un chien pour voir ça passer. Daniel va continuer :

— Viens, viens, on va s'asseoir dans la salle de réunion ! Tu prends quoi dans ton café ?
— Non—
— Non t'en as déjà bu un ? Faque un décaf ? Sarah, un décaf ! Un espresso ou un latté ?
— Juste un espresso.
— Espresso décaf, Sarah !

La salle de réunion va donner sur un terrain avec vue sur le fleuve.

— Mon ex est partie avec le chalet, Daniel va dire en riant, mais je te dirais que cette vue-là ça compense quand même pas pire !

Thomas va lui offrir un rire exagéré. Tu vas te contenter de sourire comme un épais.

— J'espère que ça vous a pas trop fait chier de traverser le fleuve ?
— Non, non !, Thomas va dire en balayant l'air de sa main. Mais ça, ça donne presque le goût de vivre ici.

Daniel va éclater de rire :

— Ha ! Es-tu malade ? Ben non !

Tu vas échapper un rire. Daniel va continuer en te regardant :

— Mais remarque que si tu te mets à faire de la tournée pas mal, tu vas peut-être avoir envie de déménager sur la Rive-Sud. Ça va être pas mal moins de trouble de pas avoir à te taper les ponts quand tu vas jouer à l'extérieur.

Tu vas hausser les épaules :

— Ouais, ben, euh… une affaire à' fois, j'imagine.
— Je te dirais que t'es mieux de planifier vite, parce que je le sens que ça va décoller, tes affaires.

Thomas va se tourner vers toi, enthousiaste, presque triomphant, avec un air de *je te l'avais dit.*

— J'ai vu ce que t'as fait avec la tournée des finissants de l'École, c'tait bon, mais je te trouvais un peu scolaire encore, un peu, je sais pas… convenu ? T'avais pas nécessairement de… de regard unique, mettons ? Mais là, je t'ai vu une couple de fois dans les derniers mois, pis t'as pris une coche, mon gars ! Y a des producteurs qui t'ont approché, quand t'as fini l'École ?
— Cambium l'a approché, Thomas va dire, mais y comprenaient pas sa vibe. Ils arrêtaient pas de lui dire *si on te signe on va te trouver un rôle dans nos prods de fiction, on a la série sur les ambulanciers qui s'en vient tu pourrais jouer là-dedans*, mais pour dire ça me semble que c'est mal comprendre sa vibe. Je veux dire, on va pas crisser Raph dans une série dramatique, ç'a pas rapport.
— Ha ! Anyway, Cambium c'est des estie de crosseurs, faut pas aller là. Y gèrent leur boîte comme on gère un

Costco. Tout le contenu est laite pis y en a trop. Leurs shows télé c'est de la dompe, leurs shows d'humour c'est de la dompe, toute est de la dompe.

Tu vas sourire comme un idiot: tu sais jamais s'il faut bitcher ou pas, dans ces meetings. T'as toujours l'impression qu'il y a rien de tel pour se faire des amis que de se trouver des ennemis communs, mais à chaque fois, dans ta vie, que t'as ouvert les vannes et que tu t'es mis à bitcher sur quelqu'un, la cible s'est révélée être la blonde du cousin de quelqu'un, et t'as provoqué des incidents diplomatiques. Mais Thomas va avoir l'air de savoir ce qu'il fait, et toi, tu vas faire ce que tu arrives rarement à faire, autrement: te fermer la gueule.

Daniel va continuer:

— L'aisance sur scène ça allait, dès l'École c'était évident que t'avais ça dans le sang, t'as de la présence, ça y a pas de question, pis c'est bon parce que ça, ça s'apprend pas. Mais je trouve que maintenant, t'as plus de choses à dire dans tes textes, tu vas en profondeur. C'est ben bon. Ton number sur quoi ne pas faire dans un numéro d'humour, man, super efficace.
— C'est pas trop niché?, tu vas demander.

Daniel va s'arrêter un instant, pour réfléchir en regardant le fleuve.

— Tes petits tutoriels, sur YouTube, là. C'était un peu ça le concept, non?
— Ben ouais, dans le fond.
— On fait juste se mettre raccord avec ça. Moi je trouverais ça parfait de partir de ça. Un show sur comment

faire un show d'humour. En tout cas, on pourra en reparler, mais ce qui est certain, par exemple, c'est que le premier one-man show, t'es prêt pour ça. J'imagine que je dois pas être le seul à te courir après en ce moment…
— Non, Thomas va dire par-dessus lui.

Ça sera faux, évidemment : Daniel va être le premier producteur à montrer qu'il sait même que t'existes.

— … mais moi je te le dis : je serais super content de te produire. T'sais, tu vois, là, on est en septembre, moi je pense que raisonnablement, on pourrait commencer à écrire cet automne, quand tu veux dans le fond. Une entrée en salle au printemps, ça se pourrait-tu pour toi ? Pis faire une première dans un peu plus qu'un an environ ? Ça nous laisserait le temps de te faire faire un peu plus de radio pis de télé, pour que le monde commence à te reconnaître. Faut que le monde te voie, Raph. Quand l'affiche va sortir, faut que le monde reconnaisse ta face. Faque on a du pain su'a planche.
— Faudrait regarder le calendrier, Thomas va dire, mais vite de même, je pense que ça aurait de l'allure. Toute façon, on a déjà un peu de matériel.
— Avec qui tu voudrais travailler, pour écrire ? Je peux te mettre avec quelqu'un de plus senior, voir comment ça lève ? J'ai Sylvain qui est super bon—

Tu vas dire :

— J'ai déjà une scripteuse avec qui je travaille super bien, on a écrit mes deux numéros ensemble.
— Ah ! Une femme, en plus, super. Super. On va moins se faire accuser de sentir la poche de hockey. T'sais ce que c'est, maintenant, on peut pus travailler en paix,

faut tout le temps se faire dire comment— anyway. C'est qui, la fille ?
— Laurie Blais.
— Mm. Connais pas. À part la fille chez Forand. Y a pas une Laurie Blais qui travaille chez Forand ? Ça doit pas être la même, mais faudrait qu'a se trouve un nom d'artiste, sinon c'est mêlant pour tout le monde.
— Elle est un peu nouvelle, tu vas dire.
— Ouais. Elle aurait les reins assez solides pour écrire un one-man show avec un gars qui a pas tant d'expérience ?
— On peut quand même mettre un script-éditeur plus senior avec vous, si vous voulez, Thomas va ajouter. T'en penses quoi, Raph ?
— Oh, je veux dire… ouais. Sure.
— J'ai déjà une idée pour le titre, Daniel va dire. T'sais, dans l'idée du guide, là… Ça pourrait être bon, quelque chose dans le genre de *Comment présenter son premier one-man show*.
— C'est pas trop long ?, tu vas demander.
— Peut-être. Je sais pas. En tout cas, c'est sûr que ça va faire différent. Anyway, on va commencer par l'écrire, ce show-là, pis on verra ben.

— Je veux pas que tu penses que ça me tente pas. C'est vraiment pas ça.

Tu vas avoir demandé à Thomas de te déposer devant chez Forand pour venir me kidnapper le temps d'un café. (Ça va avoir inquiété Thomas, évidemment : il va s'imaginer que t'es assez idiot pour aller te magasiner un autre gérant dans sa face, en lui demandant un lift en plus, tout juste après avoir signé avec un producteur.)

— C'est juste que si je fais ça, faut que je lâche la job chez Forand. Ça me place en conflit d'intérêts pis j'aurai pas le temps.
— Exact ! C'est ça que tu veux, non ?
— Je sais pas si je suis prête.
— Qu'est-ce qui te retient? Le cash, tu vas être super correcte pour plusieurs mois avec le contrat. Pis t'sais que je peux t'aider si jamais t'es dans' marde. À moins que je me trompe, c'est pas exactement dans tes aspirations de rester adjointe chez Forand toute ta vie non plus.
— Non, je sais, t'as raison.
— As-tu peur de travailler avec moi ? C'est-tu pour ça ?
— Non, je le sais qu'on travaille bien ensemble. On est le meilleur duo.
— D'abord pourquoi t'hésites ?

Je vais prendre un moment de silence, ralentir la marche jusqu'à m'arrêter. Me retourner vers toi. Je suis pas facile à lire, mais tu vas déchiffrer un air plus préoccupé, sur ma face. Tu vas pressentir une catastrophe imminente. Je vais dire :

— T'es tellement poisson. Voir que j'allais refuser ça !

Tu vas me répondre, avec un gros sourire :

— Je t'haïs.

Tu vas avoir eu assez peur pour que ta peau se soit humectée juste un peu, aux aisselles, et que ton rythme cardiaque ait accéléré. Puis tu vas éclater de rire, tu vas me sauter dessus pour me serrer dans tes bras, et on va renverser nos cafés par terre comme des idiots. On va se serrer pendant ce qui pourrait être cinq secondes ou cinq heures, puis je te vais te repousser et je vais dire :

— Bon, c'est ben beau, tout ça, mais ça serait quand même bien que je laisse un minimum de bonne impression en quittant Forand. Je vais leur donner mon deux semaines pis après ça on pourra se mettre au travail.
— Parfait. Maintenant, comme on va avoir un rapport professionnel, je pense que ça serait important qu'on établisse certaines règles.
— Comme ?
— Je pense qu'il faudrait arrêter de coucher ensemble, ça brouillerait vraiment trop nos rapports.

Je vais étouffer un petit rire :

— Bonne chance. Je te donne pas deux jours.

Deux semaines plus tard, on va être en char en direction du chalet à Eastman que ma tante va nous avoir gracieusement prêté pour deux semaines (*la seule chose que je demande en échange, c'est des billets pour la première du show quand ça va être prêt!*), pis rendus à Ange-Gardien, on aura déjà trouvé des lignes directrices pour trois numéros et noté quelques blagues potables. On va être branchés sur le 220. Sam va t'avoir refilé du Ritalin de sa prescription.

J'aurai pas été on board avec le projet, mais t'auras dit :

— Ça sert à rien de faire semblant: personne en humour est capable d'écrire un show à jeun. Ou en tout cas, s'ils sont capables, ils vont pas s'en vanter su'a place publique.

Ça m'aura convaincue.

Le chalet de ma tante va être tellement propre qu'on pourrait probablement manger sur le plancher. Vingt-quatre heures après notre arrivée, il va avoir l'air d'un épisode de *Hoarders*. On va avoir apporté assez de bouffe et d'alcool pour survivre à une attaque de zombies, mais les trois quarts de l'épicerie vont rester dans l'entrée, qui va s'être transformée en garde-manger informel. On va laisser traîner nos boîtes de pizza congelées et nos cannettes de bière de la cuisine à la chambre au salon au bureau. On va commencer par fumer dehors, sur la terrasse, puis dans le cadre de la porte patio, puis sous la hotte, puis n'importe où. On va s'habiller et on va se déshabiller n'importe quand et n'importe où, jusqu'à ce qu'on trouve parfaitement normal que mes bobettes se retrouvent à côté du toaster. On va avoir régressé jusqu'à devenir des animaux. Ça va être formidable.

Huit jours vont se transformer en une longue journée. On va mettre le réveil à six heures du matin, on va commencer en avalant un Ritalin, on va se mettre au travail quinze minutes plus tard, juste le temps que ça kick in ; on va parler et on va noter ce qu'on raconte sans arrêt jusqu'à ce qu'on ait faim, ce qui va arriver beaucoup plus tard que d'habitude à cause du Ritalin, habituellement vers une heure ; on va baiser en attendant que le déjeuner cuise dans le four ; on se va se remettre au travail jusqu'à ce que le Ritalin commence à se dissiper, vers six heures ; et là on va se mettre à boire, ce qui va ralentir notre rythme, mais ce qui va nous permettre aussi d'écrire des conneries qu'on se serait pas permises sur le Ritalin ; et quand on va devenir trop incohérents, on va se rouler un gros bat qu'on va fumer en relisant tout le travail de la journée, en surlignant ce qui est bon et en rayant ce qui est nul. Parce que tu vas être baté, ton regard va s'arrêter sur ma poitrine que tu vas trouver encore plus belle que d'habitude, ou c'est moi qui vais commenter tes fesses en te voyant te promener complètement nu devant les immenses fenêtres qui donnent sur le lac, et on va encore baiser. Rendus là, peut-être qu'on va dormir quelques heures, ou pas, c'est pas clair, mais on va revoir le jour se lever, et ce sera le moment de répéter le manège, prendre un Ritalin, relire tout ce qu'on a écrit la veille à tête reposée, brainstormer, noter, manger, fourrer, déconner, réécrire, boire, relaxer, avoir un éclair de génie, le noter, le développer, fumer, fourrer, dans un vortex cinglé et tellement excitant duquel on va sortir, huit jours plus tard, avec un spectacle composé de huit numéros, pas nécessairement propres, bourrés de fautes, à raffiner et à peaufiner et à revoir, mais huit numéros, quand même, à envoyer à Sylvain, le script-éditeur, et à commencer à se mettre en tête et en bouche dans le but d'aller les casser quelque part dans une soirée pour voir si ça peut tenir la route.

Il va nous rester cinq jours à tuer au chalet. On va en profiter pour sortir dehors pour la première fois du séjour. Le soleil va nous brûler la peau comme des vampires.

Parce qu'on n'aura pas pris de Ritalin, ce matin-là, on sera capables de laisser passer un silence de plus de trois secondes pour la première fois depuis très longtemps. En regardant le lac, les yeux plissés par le soleil, tu vas articuler, sans même t'en rendre compte :

— Estie que je suis chanceux de t'avoir rencontrée, pareil. Je sais pas ce que je ferais sans toi.
— Bof, c'est pas si difficile, écrire de l'humour, au fond. Faut juste prendre les bonnes substances au bon moment pis ça s'écrit tout seul. Tu t'en sortirais tout seul aussi, je suis sûre.
— C'est pas sain, tout ça, quand même, hein ?
— On peut être des personnes saines ou des personnes intéressantes. Mais pas les deux.

Je vais déposer un baiser sur tes lèvres avant de continuer :

— Pis moi j'ai fait mon choix.

— Pis vous savez ce qui est extraordinaire ? Maintenant que je vous ai donné tous les trucs pour réussir votre premier one-man show, vous avez plus besoin de moi : vous êtes parfaitement autonomes !

Tu vas lever les yeux vers la table, devant toi, comme un chien qui s'attend à recevoir une baffe. Tu vas être trop stressé pour être capable de lire la pièce : tout le monde pourrait être déçu de toi, ou impressionné, ou en tabarnak contre toi, ils pourraient t'avoir ignoré ou avoir été catatoniques pendant une heure et demie, ils pourraient avoir été remplacés par des mannequins que tu saurais pas faire la différence. Des cernes de sueur vont avoir noirci ton t-shirt, sous les aisselles. T'auras pas été capable de respirer profondément de toute la lecture : c'est juste là, une fois que ça sera fini, que tu vas être capable de relâcher les épaules, de descendre le diaphragme, pour reprendre de l'air. Y aura un silence, tu sauras pas dire combien de temps il va durer. Tu vas me regarder pour avoir mon son de cloche, que je puisse te dire, d'un seul regard, si c'était bien ou si tu m'as fait honte et tu t'es planté, mais je vais être en train de regarder Thomas qui va regarder Daniel qui va regarder Sylvain. Tu vas te sentir obligé de patiner :

— Le punchout est à retravailler. C'était l'idée de Laurie, j'étais pas 100 % convaincu, c'est un bon callback mais c'est pas un gag en soi, je sais pas si c'est assez pour que

le monde capote en rentrant chez eux, mais je veux dire, ça donne une idée générale quand même—
— On peut faire de quoi avec ça, Sylvain va dire.

Les regards implorants de moi et de Thomas et de Daniel et de toi seront pas du tout rassurés : les gens comme Sylvain, ils sont engagés pour leur goût, leur capacité à regarder un texte et à faire tomber un couperet. On les paye très cher pour qu'ils disent oui ou non. Ils sont des buvards humains, dont la seule fonction est de réagir chimiquement pour déterminer si une matière est présentable devant public ou non. Toute forme de nuance ou d'éloignement d'une réponse tranchée, noire ou blanche, est angoissante pour tous ceux qui se fient à leur jugement. Tu seras pas capable d'arrêter de parler :

— C'est sûr que c'est un work in progress, je veux dire on n'a rien présenté devant public encore, c'est une idée, vraiment, juste une idée—

Pendant un instant, tu vas t'imaginer Sam, à la première lecture de son show, chez Forand, et tu vas te demander quel genre de réaction il a pu susciter, et ça va te sembler impossible, même si tu le souhaiterais, qu'il ait pu créer un malaise, ou même juste qu'on l'ait reçu tièdement, et tu vas envisager pendant un quart de seconde de te lever, de dire *je suis désolé guys je sais pas à quoi j'ai pensé*, puis de sortir de la salle de répétition à reculons, de claquer la porte derrière toi, de partir en courant, et dans ta tête t'aurais un bon cardio, tu serais capable de courir longtemps, et très vite, pendant une heure presque, pour t'éloigner le plus vite et le plus loin possible de la salle de répétition, alors qu'on sait qu'en réalité tu montes deux étages et tu cherches ton air.

— … dans le fond la question en ce moment c'est est-ce que l'idée se tient, est-ce que le concept se peut, si vous aimez pas ça c'est pas grave, on retourne à la table à dessin pis c'est pas grave—
— Voyons, Raphaël, prends-toi une camomille, je viens de te dire qu'on peut faire de quoi avec ça, Sylvain va dire.

Tu vas incliner la tête, juste un peu, subtilement, comme un chiot qui comprend pas. Sylvain va continuer:

— Voyons, t'as-tu fait une école ou t'as bullshitté ton diplôme? On dirait que c'est la première fois que tu casses du matériel. Personne te demande de chier du Louis-José Houde sur le coin d'une table, on veut juste avoir une idée d'où c'est que tu t'en vas avec tes skis.

Tu vas faire oui de la tête, la gueule à demi ouverte, comme un joueur de hockey qui essaye d'avoir l'air intelligent alors qu'on l'attrape en entrevue quarante-cinq secondes après sa sortie de la glace. Sylvain va se tourner vers Daniel:

— Ça, Dan, y a de quoi à faire avec ça, non?
— Ben quin!, Daniel va répondre, souriant. Je suis pas un épais, moi, je le savais qu'y était capable de nous sortir de quoi!

Un nœud va se défaire dans ton dos. Tu vas retenir une envie de pleurer:

— Ah. Faque vous aimez ça?

— Ben oui, Daniel va dire. C'était exactement ce qu'on s'était dit. C'est super drôle, c'est intelligent, c'est différent, t'as ton style. Moi, c'est ça le show que je veux.
— Après ça, Thomas va ajouter, évidemment, tout ça va évoluer, on va casser le stock.
— Ben oui, ben oui, Daniel va dire, on le sait. Mais moi, je trouve ça super.

Tu vas te sentir très faible, tout d'un coup. Comme si un autobus venait de te passer à quelques centimètres du visage après que quelqu'un t'aurait tiré la manche pour te retenir de traverser la rue.

Comme si moi, j'avais eu le réflexe de faire ça. Pour te protéger de toi.

— Clope, pis après, les notes ?, Sylvain va dire.

Il va brandir quatre grosses pages complètement gribouillées :

— J'ai toute ça de notes à passer, c'est bon signe !

Quand on va rentrer chez moi, ce soir-là, tu vas fondre en pleurs en passant la porte. Je vais devoir te porter jusqu'à mon lit et te flatter le dos pendant plusieurs minutes avant que tu sois capable de reprendre ton souffle et de parler. Je vais finir par dire, très doucement :

— Es-tu correct ?
— Oui, oui.
— Est-ce qu'y est arrivé de quoi ?
— Non, non !
— Est-ce que c'est parce que tu regrettes, pour le show ?
— Non, pantoute !

Je vais déposer un bec sur ta joue et te serrer fort, pendant ce qui va te paraître une demi-heure. On va s'étendre sur le lit en se tenant par la main et en fixant le plafond. Ta respiration va finir par se calmer. Tu vas lentement revenir à quelque chose comme un état normal, avec une sorte d'afterglow pas nécessairement désagréable. Sans oser me regarder dans les yeux, tu vas dire :

— Quand le monde m'aime, des fois j'ai l'impression que c'est une joke.

Je vais rouler sur le côté. Tu vas me rejoindre et me regarder dans les yeux en silence.

— Pourquoi ça serait une joke ?, je vais dire.

Ça va te traverser l'esprit, un instant, de m'avouer que tu mérites pas ce qui t'arrive, que tu te sens indigne, indigne du show, indigne de moi, aussi, et que tu imagines que je t'aurais probablement méprisé, si on s'était rencontrés avant, alors que t'étais le porte-étendard des puceaux sans avenir au secondaire. Ça te ferait un bien immense de me dire que même si toute ta démarche artistique consiste à construire une persona plus grande que nature, imperturbable, baveuse, voire destructrice, que tu peux roaster comme si c'était un sport olympique, que t'es mean, que rien te surprend, qu'on peut te cracher du fiel et qu'il va te couler dessus comme de l'eau sur le dos d'un canard, ou mieux encore, que tu vas le renvoyer avec encore plus d'adresse et faire rire tout le monde qui en est témoin, ça te ferait un bien immense de me dire que tu pourras peut-être jamais complètement croire qu'on veuille de toi, qu'à quelque part, ça doit être un dîner de cons, que quelqu'un essaye de te tendre un piège. Ça te ferait un bien immense, mais ça sera pas à ta portée. Tu pourras juste dire :

— Aucune raison.

Tu vas te demander ce qui serait arrivé, si t'avais eu les couilles de baisser ta garde. Tu vas te le demander jusqu'à la fin de tes jours.

Tu verras pas d'avertissement.

T'arriveras pas à identifier le point de non-retour. Ça va être comme si je m'étais levée un matin et que j'avais arrêté de t'aimer. Ça sera pas ça, évidemment: c'est jamais comme ça. Mais t'arriveras pas, même en cherchant, à voir la réalité autrement: ça va te tomber dessus comme on se fait frapper par une voiture un matin en traversant la rue. Parce que la vie change vite. La vie peut changer en un instant. Tu montes dans un char pour Gatineau pis la vie que tu connaissais est finie.

Pour essayer de comprendre, tu vas rejouer le film dans ta tête, minute par minute, depuis le début de notre relation, en te demandant comment, pourquoi, pour quelle raison ça a pu déraper. Et quand tu vas vouloir t'ôter les images de la tête, tu seras plus capable: à trop avoir analysé le film, tu vas t'être scarifié la mémoire.

La fin, tout particulièrement. La fin, tu vas la connaître par cœur. Très précisément. Ce week-end-là, fin mai. Cette voiture-là qu'on va charger comme un jeu de Tetris, parce qu'on va partager la route avec Thomas et Max Lap, qui va être à la fois ton directeur technique et ta première partie, pour nous rendre à Gatineau, où tu vas avoir deux shows en rodage. (Internet va avoir digéré le poulet frit plus vite que Max va en avoir été capable. Max va s'être rabattu sur sa carrière d'humoriste alors que celle de youtubeur va s'essouffler.)

Tu vas mourir vieux, mais même à la fin de ta vie, tu t'en souviendras encore.

Ce café-là, que tu vas me renverser dessus, par accident, quand on va arrêter se chercher du take-out avant d'aller ramasser Thomas et Max.

— C'est quoi, ton tabarnak de problème?

Cette réaction violente que je vais avoir à un incident somme toute désagréable, oui, et inconfortable, certainement, mais que tu vas trouver démesurée. Tu vas avoir vu dans mon regard une violence que tu vas jamais avoir vue avant — en fait, oui, une seule fois avant, une semaine plus tôt. Tu vas avoir été une semaine sur la route, et tu vas t'être ennuyé de moi, à dormir seul à l'hôtel, évidemment, et tu vas avoir eu très hâte de baiser. Et même si parfois ça va nous être arrivé d'y aller fort, que je te morde, que je te demande de me claquer une fesse, que tu me brasses un peu, comme ça, juste pour dire, pour faire un peu porno mais pas trop, même si parfois on aura fait ça, cette fois-là, après avoir été séparée de toi pendant une semaine, ce qui est presque rien, au fond, mais quand même, cette fois-là, je vais être brusque avec toi, pendant le sexe. Je vais te mordre fort, plus fort que d'habitude, et mes ongles vont se planter dans la chair de tes bras et de ton dos, et quand on va s'embrasser, je vais te mordre la langue. Et t'auras essayé d'aller chercher mon regard pour m'indiquer que non, c'est pas ça, le mood, que t'as juste envie de faire l'amour de manière normale, mais tu y seras pas arrivé parce que mon regard va avoir fui, et quand tu vas avoir perdu patience et que tu vas avoir essayé de jouer mon jeu, en tenant ma mâchoire pour te forcer à me regarder, tu vas voir une violence dans mes yeux que t'auras jamais vue avant. Ça va te faire peur. Tu vas arriver à jouir, t'arriveras toujours à jouir, le problème sera pas là. Le problème, c'est qu'en regardant dans mes yeux, tu vas comprendre que je suis devenue quelqu'un d'autre. Tu vas comprendre que je me suis transformée en une personne qui t'aime plus.

Et puis on va s'occuper avec le travail et l'organisation du petit road trip, et tu pourras reléguer ça à un coin sombre de ton esprit que tu visites pas souvent. On a besoin de coins sombres pour cacher les mauvais pressentiments, sinon on n'arriverait pas à vivre.

— C'est quoi, ton tabarnak de problème ?

Ce regard-là, et ce temps, aussi, après la question, qui indique que c'est pas une question, mais une insulte : *t'as un problème. Tu mérites qu'on t'abatte.*

Les larmes vont partir de ton plexus et vont monter rapidement, mais tu vas arriver à les bloquer à la hauteur de la gorge. Ça va se transformer en un sourire désolé.

— Je m'excuse.

T'aurais ragé, normalement, mais là, tu vas juste être envahi par une énorme vague de tristesse. Tu vas savoir que t'as plus droit à l'erreur, qu'à partir de ce moment-là, t'as plus vraiment le luxe de te permettre une autre prise.

T'auras jamais vraiment eu le luxe de te permettre une seule prise, au fond. Tu le savais déjà quand t'es venu vers moi, tantôt, pour m'offrir un shot. Mais on est bons pour se raconter des histoires. On est bons pour oublier qu'on sait quand une histoire va mal finir.

Tu vas hésiter un instant à crever l'abcès, à proposer doucement que je reste à Montréal, que je vienne simplement te voir à un autre show, pour te donner des notes sur le texte. Tu vas réaliser vite que ça paraîtrait mal, en fait, de me laisser pourrir derrière sans avertissement, donc tu vas devoir éliminer cette option-là.

Alors tu vas contracter tous les muscles de ton corps pour sourire et dire simplement :

— Je m'excuse.

Le malaise va proliférer comme des métastases, dans le silence de la voiture, mais on va être assez habiles pour jouer au couple relax, heureux, prêt à partir en road trip, quand on va arrêter chez Thomas. Je vais être jasante, et drôle, et intelligente. Je vais savoir comment mettre le feu à la voiture, avec juste la bonne séquence de chansons pour mettre le party, puis pour servir de trame de fond, puis pour détendre. Thomas va me féliciter : je vais avoir fait une super job de copilote, selon lui. Ça va te rendre triste d'entendre ça.

On va parler de job, évidemment qu'on va parler de job : on sait rien faire d'autre. Les gens normaux, ils ont un travail et un loisir, ils ont des intérêts, ils sont des gens du monde qui peuvent entretenir une conversation, mais nous, non, évidemment, on va passer tout le voyage à parler du show nul de l'un, du bon coup de l'autre à la radio, du drôle de casting sur les galas cette année, de ton rodage qui va bon train, du show qui sera bon, très bon, tout le monde en est certain, même si ça va demander encore du travail de ta part, et ça va t'arranger parce que ça va te permettre de participer à une conversation avec moi. Ça va te paraître important, parce que tu vas avoir l'impression, à ce moment-là, l'impression fondée que c'est une de nos dernières conversations comme couple.

Tu vas avoir besoin de te rapprocher de moi. Physiquement.

Dès qu'on va entrer dans la chambre pour déposer nos sacs, tu vas t'approcher de moi, par derrière, pour m'embrasser dans le cou. Je vais sursauter violemment et te gifler au visage. Par réflexe.

— Scuse. Juste. J'ai fait le saut.

Je vais pas avoir l'air de me sentir coupable, pas une seconde. J'aurai pas été capable de te regarder dans les yeux, en disant ça. Je vais m'éloigner pour m'enfermer dans la salle de bain. Tu vas entendre le froissement de mes vêtements que j'enlève.

Tu vas entendre le hissement de la plomberie, derrière la porte, et je vais disparaître derrière le bruit de l'eau qui coule. Tu pourras pas bouger. Tu vas rester là, debout, en carafe, au milieu de la chambre, à fixer la porte, avec le dos arrondi, avec ta bouche qui s'emplit de salive et une vague envie de vomir, avec une faiblesse au thorax, un froid qui se répand dans tout ton corps, tranquillement. Une sensation de mort imminente.

Ça va cogner à la porte de la chambre : Thomas va t'épargner le supplice de me voir sortir de la douche et de reprendre là où on s'est laissés.

— Faudrait se rendre à la salle pour le test de son, Raph.

Tu vas vouloir transmettre quelque chose à Thomas avec ton regard, mais il verra rien. Thomas voit jamais rien.

— Laurie est dans' douche, encore.

Tu vas te tourner vers la salle de bain et dire, plus fort :

— Faudrait se rendre à' salle, Laurie.
— Je vais vous rejoindre en taxi !, tu vas m'entendre hurler.

Tu vas avoir envie de parler à Thomas, dans le char, mais tu vas réaliser que t'as rien de concret à dire encore. Tu dirais quoi ? Que j'étais pas dans le mood pour fourrer en arrivant à l'hôtel ? Que tu m'as trouvée bête, en montant ? Tu vas réaliser que tant que la fin du monde est pas nommée, elle se produit pas. Y a des gens qui peuvent durer des années, comme ça. Tu vas te dire que tu préférerais toffer des années comme ça que de devoir accepter que je te laisse. À choisir, t'aimerais mieux être malheureux avec moi qu'heureux seul.

— Normalement tu vas être libéré à trois heures environ. T'as une entrevue avec Rad-Can Gatineau à trois heures et demie, ça va se passer ici, après on a Rouge à quatre et demie au téléphone, ça on pourrait le faire du char, pis Cogeco à cinq heures et dix, ça c'est en studio.
— Okay.
— J'ai fait ton post Facebook, j'ai mis la promo du show en story aussi sur Insta, si tu pouvais faire une story ou

deux avant six heures ça serait bon aussi, quelque chose de nono, Daniel aimerait ça, il reste des places à vendre pour demain.

— Beaucoup ?

— Non, non, mais il aimerait ça dire que c'est sold-out en journée demain, ça paraîtrait ben, faque. Essaye de faire de quoi de nono, là, fais semblant que tu veux aller faire ton show au Parlement ou quequ' chose.

— Okay.

— As-tu commencé à travailler ta chronique de lundi ? T'as pas oublié que t'avais ta chronique à Énergie lundi ?

— Non, non, c'est bon.

— Pis faudrait que t'ailles chez le barbier avant jeudi parce que jeudi t'as *Le tricheur.*

— Ah, shit.

— Pis t'sais, c'est la première fois, faque ça serait bon de faire bonne impression.

— Je pensais que tu voulais pas que je sois trop beau.

— Faudrait quand même que t'aies pas l'air d'un itinérant. Je vais te booker le barbier à côté de chez vous, pas besoin d'appeler.

— J'haïs les estie de quiz.

— Quand tout le monde se crissait de toi, t'aurais été prêt à sucer Guy Jodoin pour participer à l'estie de *Tricheur*, faque plains-toi pas le ventre plein.

Cette sensation qu'on a, quand on sait que quelque chose qui fait très mal va se produire, et qu'on peut plus rien faire d'autre qu'attendre que tout pète : les millisecondes de vol dans les airs, avant un impact. Thomas va adoucir son ton :

— Ça va, man ?
— Ouais. J'ai besoin d'un café, je pense. J'ai peut-être pas assez dormi.
— Je t'en ramasse un pendant que tu t'installes dans' loge.

Tu vas arriver à t'accrocher un sourire au visage en passant la porte du théâtre. C'est une chose que tu vas avoir apprise, à l'École, en buvant beaucoup avec tes collègues de classe : la capacité de te faire violence pour monter sur scène, même si t'es hangover à vouloir te vomir l'âme, même si on t'a scié un bras, même si t'es à l'article de la mort. Personne verra rien.

Après le soundcheck, Thomas va t'attendre en loge avec un espresso tiède.

— Ça vient du bar de la salle. Si y'est pas assez bon, tu me le dis pis je vais t'en trouver un autre. Y a-tu ça, du bon café, à Gatineau ? Sinon, pas de trouble, je vais t'en chercher un l'autre côté de la rivière pis on n'en parle pus.

Le café va être dégueulasse, effectivement.

— C'est ben correct, je voulais juste la caféine, anyway.
— Besoin d'autre chose ?
— Non, tout est beau. Le frigo est ben rempli. J'ai ma bière de loge.
— Parfait, man.
— T'avais pas besoin de venir passer le week-end au complet avec nous, t'sais.
— Non, mais j'avais pas vu le show depuis une couple de semaines, faque… Pis ça va me faire du bien d'avoir un petit break de Montréal. Ma blonde vient me rejoindre en

train demain, en plus, ça va nous faire une petite escapade. J'avais jamais visité le Parlement pis elle non plus.

Thomas est le genre de gars qui pourrait avoir du mal à se souvenir du nom du premier ministre.

Il va jeter un œil à son téléphone.

— Okay, on bouge ! Rad-Can est installé dans la salle, on va faire l'entrevue assis sur le rebord de la scène, ça va être cute avec les écrans derrière pis l'éclairage.

Thomas va te guider à travers le labyrinthe des corridors du théâtre, dans le noir. Tu vas avoir chaud de la face et l'impression d'être au bord de t'évanouir. Tu vas dire :

— As-tu vu Laurie ?
— A doit être en route.

Après un nombre de virages dont tu vas avoir perdu le compte, vous allez déboucher sur la coulisse, puis sur la scène, où une journaliste encore plus jeune que toi va t'attendre à côté d'un gars avec une shape de trucker qui tient une caméra aux couleurs de Rad-Can. Elle va te tendre la main en disant :

— Salut Raphaël, moi c'est Audrey, c'est moi qui vais faire l'entrevue avec toi ce soir. Ça va être assez court, c'est pour un trois minutes que je vais présenter au téléjournal de ce soir.
— Y a pas de petits reportages, y a juste des petites télévisions.

Tu vas vouloir te flinguer d'avoir sorti une blague aussi nulle, et pourtant, la journaliste va éclater de rire.

C'est une chose que t'as déjà apprise, mais que ton expérience des prochaines années va te confirmer : faire de l'humour, c'est beaucoup plus facile qu'on pense. On surestime beaucoup l'esprit critique du public et des journalistes.

C'est pour ça que Sam réussit autant. Et c'est pour ça que tu dois souvent lutter pour pas céder à la tentation d'être aussi premier degré que lui. Mais toi et moi, en travaillant ensemble, on va être capables de produire de l'humour juste un peu plus sophistiqué.

Après avoir géré le caméraman qui va sacrer contre l'éclairage du théâtre et chialer qu'il arrive pas à te cadrer comme il faut en te faisant asseoir au bord de la scène, la journaliste, très enthousiaste, va venir se placer devant toi et te parler en te regardant dans les yeux avec un appétit qui sera possiblement pas que professionnel.

— Raphaël, à peu près personne connaissait votre nom y a un an, et aujourd'hui, vous avez réussi à faire votre marque entre autres avec des sketches sur votre page YouTube, dont certains ont même dépassé le million de vues : pourquoi ça a marché autant ?
— Honnêtement ? La recette, ça a juste été d'arrêter de me poser des questions. Avec des vidéos comme ça, je peux essayer quelque chose de vraiment nono, sur le moment, sans me censurer. Un peu comme quand je faisais de l'impro au secondaire — tout part de là, dans le fond.
— Et ça donne des choses comme votre personnage décalé de brigadier inapproprié, qui insulte des enfants et se bat avec un vieillard…

Tu vas éclater de rire, comme si t'avais été pris au piège en train de faire quelque chose d'inapproprié.

— Ouais, ouais, j'ai fait ça.
— Et même si vous avez commencé d'abord sur scène, dans les bars, après l'École de l'humour, c'est via ces capsules web là que vous avez ensuite réussi à produire votre premier spectacle solo, que vous venez présenter en rodage chez nous.
— Ouais, absolument.
— Qu'est-ce qui a changé, entre le Raphaël d'il y a un an et celui d'aujourd'hui ?
— Pas grand-chose, à part que le monde écoute mes niaiseries, maintenant.
— Je sais que vous travaillez en étroite collaboration avec une scripteuse depuis un certain temps, Laurie Blais. Ça a été quoi son apport là-dedans ?

Ton regard va dévier vers Thomas, qui va avoir arrêté d'écouter, plongé dans son cell.

— Laurie Blais ? Laurie Blais c'est une bonne collaboratrice, oui, mais c'est vraiment un apport ponctuel, on pitche des idées ensemble de temps en temps mais c'est tout. Non, c'est vraiment juste parce que j'ai décidé de changer de direction y a un an en lançant ma chaîne YouTube. Pis c'est de là que c'est parti. Dans le fond, c'est au monde qui m'a suivi en ligne que je dois ce succès-là.
— Raphaël Massicotte, merci !

T'auras pas de nouvelles de moi, ni à quatre heures, ni à cinq, ni à six. Les entrevues seront toutes chiantes, mais elles auront l'avantage de t'occuper l'esprit presque sans arrêt jusqu'au moment de monter sur scène.

À cette étape-là de ta carrière, tu vas avoir apprivoisé la bête. Tu vas savoir comment calmer tes nerfs, avant de monter sur scène : boire deux pintes, déconner longtemps avec les gens avec qui tu partages ta loge (Max Lap, dans le cas de cette tournée-là), puis te diriger vers la coulisse pour regarder la scène une dizaine de minutes avant d'entrer, en tentant de ralentir ta respiration du mieux que tu peux. Tout est toujours dans la respiration. Détendre le diaphragme. La différence entre un gag qui land et un gag qui chie, ça tient parfois à un muscle.

Le set de Max Lap, en première partie, va être efficace, comme toujours. Il va avoir délaissé son contenu plus 450, comme son numéro méprisable sur les tout-inclus, digne de Philippe Bond, pour raconter les anecdotes qu'il va avoir ramassées en se promenant à travers le monde pour manger comme un porc. Ça va être différent et ça va quand même parler au monde. Et puis Max, rendu là, il va peser deux cent cinquante livres, alors nécessairement, ça va lui donner une certaine prestance, sur scène, et ça va donner une sale caisse de résonance pour sa grosse voix.

Quand tu vas entendre son bit sur la gestion de l'espace dans le métro de Tokyo quand t'es un gros Blanc qui prend trop de place, tu vas savoir qu'il est à environ deux minutes de la fin.

Comme d'habitude, tu vas te forcer à fermer les yeux. Prendre une grande inspiration.

Tu vas te dire qu'il peut rien arriver de grave.

Tu vas te rappeler la fois où tu t'étais dit qu'il pouvait rien arriver de grave. Tu vas revoir mon visage comme tu le vois en ce moment, ce soir, dans la cuisine chez André. Tu vas rejouer le film de ta journée, avec moi qui t'engueule alors qu'on part pour Gatineau. Moi qui recule quand tu veux me faire l'amour. Moi qui disparais derrière la porte de la salle de bain.

— Raaaaaaaaaaph Massi !

T'auras pas entendu le punchout de Max Lap. Pas entendu la foule applaudir. Pas entendu la voix enregistrée qui annonce ton nom. Tu vas avoir été trop concentré à serrer la mâchoire pour retenir un sanglot. Ça va fonctionner, mais tu vas entrer sur scène avec quelques secondes de retard. Personne va le remarquer, évidemment. Mais toi tu vas le savoir. Ça sera assez pour te faire perdre ton ballant. Et monter sur scène est un numéro d'équilibre qui demande un parfait contrôle.

— Hey, très content d'être à Gatineau ce soir ! Vous savez que c'est vraiment spécial pour moi d'être ici parce que je suis un grand fan de plusieurs artistes gatinois... À commencer par mon préféré, le redneck qui a réussi à devenir une star en disant à TVA qu'il a ben le doua de mettre du remblai illégal sur son terrain.

Ça fera rire personne.

Tu vas rembarquer sur ta track habituelle et tu vas réussir à remonter la côte, mais tu vas te sentir toujours à bout de souffle, offbeat. Tu vas avoir des rires, évidemment que tu vas avoir des rires : plusieurs des numéros vont déjà être déjà bien rodés, et tu vas pouvoir les livrer pratiquement les yeux fermés, sur le pilote automatique, en sachant qu'il faut monter le ton là, prendre une pause ici, changer le regard à tel endroit. Mais le pilote automatique, c'est pas viable, pas pendant un show complet. Le public, il le sait quand t'es pas 100 % avec lui, que t'es dans ta tête. Il comprend pas nécessairement ce qui cloche : il regarde une heure trente d'un gars habile, qui bouge bien sur scène, qui a des lignes bien écrites, bien livrées, un bon timing, et il se dit qu'il devrait aimer ça, mais sans savoir pourquoi, ça l'emmerde à mourir.

Il va te manquer juste une chose. Cette étincelle-là, dans l'œil. Un feu qu'on peut observer, mais pas quantifier. Dont on réalise l'existence juste quand il est absent. C'est de ça que les gens parlent, quand ils disent que t'es bon sur scène, que t'es capable, en trois secondes, de mettre des gens dans ta petite poche. Cette façon de te placer à leur niveau, mais en position de guide. Pour les emmener par la main, tranquillement, vers ton histoire. Pour qu'ils finissent par t'écouter et te suivre où tu veux. En riant, évidemment. En riant, de préférence.

Tu vas être en train de faire le bout où tu vas dresser une liste de tout ce que tu détestes dans un numéro de stand-up, et où tu vas roaster le concept de calembour. Il va y avoir un quart de seconde où tu vas sortir juste un peu de ton éclairage, en te promenant sur scène. Ça sera juste assez pour voir un peu mieux la salle. Assez pour que tu te demandes où je suis placée. Que tu te demandes ce que je pense du show. Si je te méprise. Si je te trouve nul. Si je me suis refroidie devant toi parce que j'ai réalisé, au fond, que tout ce que tu fais est nul, que t'as pas de talent, et que t'es laid, aussi, et que je perds mon temps avec toi.

T'arriveras pas à voir où je suis placée dans la salle, évidemment. Et tu vas réaliser que pendant ce quart de seconde là où t'as pensé à moi, tu vas avoir perdu le fil. Tu vas être un chevreuil et la salle va rouler vers toi à deux cents kilomètres à l'heure.

On perd la notion du temps, sur scène. Ça va être impossible de savoir combien de temps ça va durer, cette suspension-là, au cours de laquelle on va entendre rien d'autre que ton souffle affolé, dans les haut-parleurs de la salle. Puis le bruissement d'un spectateur qui se replace nerveusement dans son siège. Puis un toussotement discret. Puis trois autres toussotements en même temps. Tu vas répéter ce que tu viens tout juste de dire :

— Faque c'est ça, t'sais, dans la tête de beaucoup de monde, c'est encore acceptable de ploguer un jeu de mots poche sur scène…

C'est pas comme si t'avais un texte appris par cœur. Le lien se fait toujours naturellement, quand tu racontes une histoire sur scène. Y a pas de manuel pour ces situations-là où, comme par magic, le liant qui tient les idées ensemble pour en faire un tout cohérent se désagrège et te laisse en pâture à mille personnes venues pour rire pis qui se retrouvent malencontreusement à ressentir de la *pitié* pour l'incompétent qui a surévalué sa capacité à tenir le fort devant eux.

Trois secondes ? Dix secondes ? Une minute ? Trois heures ?

Tu vas repenser à une fois où je t'ai parlé d'un pianiste qui avait composé un morceau qui s'appelait « quatre minutes », ou « quatre minutes quelque chose », ça te reviendra pas exactement, mais tu vas repenser à ce morceau-là qui est en fait quatre minutes quelque de silence, sur scène, devant une foule qui devient nécessairement mal à l'aise, plus bruyante, qui devient elle-même la musique.

Ça t'aidera pas à reprendre le fil. Tu vas te dire qu'évidemment que tu connaissais pas ça avant que moi je te l'apprenne, parce que *moi* je suis plus intelligente que toi. Tu vas te demander si tu vas régresser intellectuellement, après moi.

— Je suis tellement fucking désolé, guys.

Les spectateurs, encourageants, vont t'offrir une ovation, pour t'encourager. À court de ressources, tu vas improviser :

— Voyons, qui c'est qui a fait brûler ses toasts ?

La salle va se forcer à rire, compatissante. Et puis, comme il est arrivé, le blanc va repartir : tu vas te rappeler ce qu'il fallait que tu donnes en exemple un jeu de mots nul sur le mot « lave-vaisselle » qu'on prend pour « lave-aisselle ». Deuxième degré : une blague tellement nulle que le public la trouve drôle.

C'est moi qui va t'avoir suggéré l'idée de roaster les jeux de mots poches, pour te permettre de ploguer dans ton show des jokes de mononcle dans un cadre acceptable. Le public va aimer ça.

Après, tu vas remonter en selle et arriver à finir le show comme n'importe quel autre.

À la différence que, même après un salut devant une salle ultra généreuse, tu vas sortir de scène avec l'envie de te gunner.

Et même si Max Lap va te faire un gros hug, quand tu vas arriver en loge, et que Thomas va t'apporter une bière en te disant que c'était rien, que c'est terrible la première fois que ça arrive mais que ça arrive à tout le monde, l'envie de te gunner partira pas tout à fait.

Tu vas avoir besoin que moi j'arrive, pour te dire que c'était drôle, au fond, que ça a duré trois secondes, max, le blanc. Mais je vais t'envoyer juste un texto te disant que je suis fatiguée pis que je suis rentrée directement à l'hôtel après le show.

En me rejoignant, tu vas dire :

— Comment t'as trouvé le show ?
— T'étais parfait, je vais dire.
— Parfait ?
— Oui.
— Aucune note ?

Tu vas retenir un sanglot, quelque chose de sourd qui va rester coincé dans ta gorge.

— T'es pas venue.

Je vais juste pouvoir hocher la tête.

— J'ai eu un fucking blanc.
— Ça arrive.
— C'est pas ça, le problème.

Tu voudras pas faire ça, tu vas t'implorer de pas faire ça, mais ton corps va s'être gonflé de désespoir à vouloir en éclater, et tu vas t'entendre dire :

— Qu'est-ce qui se passe, Laurie ?

Et même si tu pourrais être en train de parler de n'importe quoi, du craquement du lit qu'on entend dans la chambre des voisins qui vont être en train de fourrer, de la sirène qu'on entend dehors, même si ta question va être très vague, je vais comprendre exactement ce que tu veux dire. Je vais dire, gravement :

— Je sais pas.
— Est-ce que t'es en train de penser à me laisser ?
— Je sais pas.

Le « je sais pas » le plus affirmatif que tu vas avoir entendu de ta vie.

Il va falloir que tu te lèves et que tu t'éloignes. Ça va être la seule option possible. Tu vas sortir de la chambre d'hôtel, en boxers, comme un idiot, pour te retrouver dans le corridor beaucoup trop éclairé, complètement vide, à zigzaguer entre les plateaux sales de service aux chambres déposés devant les portes, incapable de respirer, la gorge tendue, la mâchoire serrée. Tu vas attraper ton reflet dans un miroir du corridor. Ça va te rappeler que t'es pas beau en chest. Et que peut-être que si t'avais fait un effort de côté-là, *peut-être*, juste peut-être, ça aurait pu faire une différence. Peut-être que ça aurait pu me convaincre de rester. Et plus tu vas avancer et plus ça sera difficile de contenir l'explosion qui va être en train de partir de ton ventre. Ça va commencer avec la poitrine, qui va se secouer. Puis les épaules. Puis ton dos qui va s'arrondir. Tes genoux vont faiblir : va falloir que tu prennes appui sur le mur du corridor pour éviter de tomber. Puis éventuellement tu seras plus capable de supporter ton propre poids. Ça va ressembler à l'idée que tu te fais d'avoir les intestins transpercés par une baïonnette. Et y aura un son guttural qui va remplir le corridor, tellement monstrueux que ça va te prendre plusieurs secondes avant de réaliser qu'il provient de toi.

Je vais enfiler un t-shirt et un pantalon de pyjama pour partir à ta poursuite, dans le corridor. Je te vais te retrouver devant l'ascenseur, à quatre pattes, en train de pleurer comme un bébé. Tu vas essayer de me parler, mais tu vas juste échapper un hurlement. Un long filet de bave va s'écouler de ta bouche jusqu'au tapis.

— Raph ! Raph, arrête, c'est ridicule, tu vas réveiller tout le monde !

Ça va être difficile de parler. Les pleurs vont crisper ta bouche dans une grimace épouvantable. Ça va être impossible d'articuler. Je vais finir par comprendre, après plusieurs essais, que tu dis :

— Pourquoi tu me fais ça ?
— Raph. Veux-tu juste… pas faire ça ici ?

Tu vas essayer de te relever, mais tu vas retomber au sol. Je vais hésiter à retourner toute seule à la chambre, puis je vais finir par te soulever et te porter comme un éclopé jusqu'à notre porte. Tu seras plus capable de soutenir ton propre poids. Je vais dire :

— Peux-tu ouvrir ? J'ai pas ma carte.
— J'ai pas pris ma carte en sortant, tu vas dire, encore en sanglotant.
— Tabarnak.

Tu vas appuyer ton front contre la porte et tu vas te laisser glisser jusqu'au sol, pendant que ta poitrine se gonfle par saccades, et tu vas échapper des sanglots violents, presque des rugissements, jusqu'à finir roulé en boule comme un animal, au pied de la porte. Je vais rester là à te regarder pendant un temps aussi indéfini que ton blanc sur scène : peut-être trois secondes, peut-être dix, peut-être une minute. Peut-être trois heures.

Tu me verras pas disparaître. Quand je vais revenir, t'auras toujours pas arrêté de sangloter, mais au moins, ça va être plus silencieux. Je vais avoir deux cartes d'accès en main.

— Tiens, je vais dire en t'en donnant une. Je me suis pris une chambre.

T'auras pas la force d'étirer ton bras pour glisser la carte d'accès dans la porte.

— Êtes-vous correct, monsieur ?

Tu sais pas combien de temps va s'être écoulé avant qu'un employé de l'hôtel arrive et s'accroupisse devant toi. Ta face va être bouffie et t'auras fait un rond au sol avec le filet de bave qui va s'être écoulé de ta gueule.

— Avez-vous votre carte ?

Tu vas réussir à bouger ton index pour pointer la carte, par terre, à côté de toi. L'employé va la ramasser, placer ta main pour retenir ton poids, glisser la carte dans le lecteur de la porte, te redonner la carte. Tu vas ramper jusque dans la chambre.

— Je sais que ça changera peut-être pas grand-chose en ce moment, mais… j'aime beaucoup ce que vous faites.

Il va refermer la porte derrière toi. Tu vas finalement t'étendre dans l'entrée de la chambre et finir la nuit là.

Va falloir faire semblant, le reste du week-end. On va bruncher les quatre ensemble, Max Lap, Thomas, toi, moi. Les gars vont te faire des blagues sur ton blanc, mais ils en feront pas vraiment de cas. Sam t'aurait roast, mais Max Lap, c'est un gentil, et Thomas il sait que c'est pas dans son intérêt d'écorcher ton ego. Quand Thomas va avoir des notes pour toi, je vais inventer des détails à ajouter. Il va être d'accord. Je suis bonne pour bullshitter. Personne verra rien. Pis comme je vais faire semblant que tout va bien, tu vas être forcé de jouer le jeu, toi aussi.

Tu vas passer le reste de la journée à fixer le plafond de ta chambre, en prétextant à Thomas qu'il faut que tu rédiges ta chronique pour le lundi.

La blonde de Thomas va assister au deuxième show, le samedi soir. On va souper tous les cinq, après, et on va sortir prendre un verre, comme si c'était n'importe quel samedi normal. La blonde de Thomas va nous dire qu'on fait une paire extraordinaire, toi pis moi : elle va t'avoir trouvé incroyable sur scène, et elle va me complimenter sur l'écriture du show. Ça va te donner envie de mourir.

Le dimanche, on packera la voiture encore plus serrée qu'au départ. Faudra que tu travailles fort pour te retenir de pleurer, sur le chemin.

Une fois qu'on va avoir déposé Thomas et sa blonde chez lui, en revenant de Gatineau, tu vas te dire ça y est, on va avoir la discussion, mais je vais rien dire. Je vais juste regarder par la fenêtre en silence. Et tu vas être tenté de prendre un autre chemin, pour aller me déposer chez moi, de me dire *je vais te déposer chez toi vu que c'est fini*, mais t'auras pas le courage ni l'énergie. Toute ta force vitale aura été dépensée à te retenir de fondre en pleurs.

On échangera pas un mot. Tu vas stationner la voiture chez toi. Tu vas ouvrir la valise du char. On va prendre nos bagages. On va monter. On va déposer nos sacs. Et c'est là, seulement là, que je me vais me retourner vers toi pour dire :

— Faut qu'on se parle.
— C'est ça qui se passe, là ?
— Oui.

Tu seras pas surpris, mais mes mots vont quand même te rouler sur le corps comme un dix-huit roues. Tu vas te mettre à saliver. Tu vas lancer ton sac vers le sol. En le faisant, tu vas réaliser que ton MacBook est dedans. Ça va te coûter huit cents piasses de réparation pour changer l'écran, plus tard. Tu vas pleurer devant le commis, au Apple Store. Tu vas lui dire *ma blonde m'a crissé là pis j'ai cassé mon écran*. Ça sera pas drôle. Ça va juste être malaisant.

Mais là, tu vas me demander :

— Faque on fait quoi, là ?
— Je… je veux qu'on arrête de se voir.

L'ouverture de la faille de San Andreas.

— Pourquoi?

L'effondrement des tours jumelles.

— Je t'aime plus, Raph.

Tchernobyl.

— Mais pourquoi?

Un astéroïde qui rase la totalité de la vie sur Terre.

— Juste… parce que je t'aime plus.
— J'ai besoin d'une raison, Laurie. Donne-moi une raison.
— Tu sais que ça fonctionne pas de même.
— Y a une raison. Y a une raison pourquoi t'as décidé de rentrer avec moi ce soir-là chez André.
— Raph—
— Pis y a une raison pourquoi t'es en train de me dire ça maintenant. Y a toujours une raison!

Tu vas t'être approché de moi, pour dire ça. Tu vas m'avoir saisie par les épaules. Je vais avoir reculé, doucement, jusqu'à finir acculée au mur du salon. T'auras pas lâché mes épaules. C'est pas que tu vas serrer fort, tu serreras pas fort. Mais t'auras les mains sur mes épaules et ton visage à quelques centimètres du mien et si à ce moment là tu me demandais comment je me sens, je te dirais que j'ai peur. Je te dirais que je suis terrifiée. Mais tu vas dire:

— Est-ce que je suis juste un bet depuis le début?
— Raph. Je… je peux juste plus continuer ça.

— Est-ce que c'est parce que t'as besoin de voir d'autres gars ?
— Non—
— Si tu veux voir d'autres gars on peut s'arranger, Laurie, je peux être flexible, si tu me dis que tu veux un compromis je peux m'arranger, moi tout ce que je veux c'est te *garder*—
— Raph, c'est pas ça !
— Je veux juste que tu restes avec moi. Dis-moi ce que je peux faire pour que tu restes avec moi pis je vais le faire.

Plus tard, tu vas te souvenir de rien de ça. Ton esprit va avoir zappé la presque totalité de cette conversation-là. Pour une panoplie de raisons.

Ton étreinte sur mes épaules va s'être ramollie. Ton visage va glisser vers ma poitrine, doucement. Tu vas faiblir et appuyer ta tête contre moi. Ta tempe va être brûlante.

— Je peux pas vivre sans toi. J'ai jamais aimé personne d'autre, Laurie. Pas de même. Personne.
— Raph—
— J'étais rien, avant toi. Tout ce que j'ai, dans' vie, je te le dois. Ma carrière, l'appart ici, juste le fait que je suis *vivant*, c'est toi—
— Raph, arrête ! C'est juste— arrête, okay ?

Tu vas glisser le long de mon corps, mollement, jusqu'à fondre au sol comme un mollusque. Je vais te regarder longtemps avant de dire :

— Je vais juste m'en aller, okay ?

— Faque c'est ça, là. Tu t'en vas pis c'est tout.
— Non, non, mais…
— Mais oui.

Une suspension. Tu vas dire :

— On fait quoi, pour le show ?

Je vais prendre une grande inspiration, sur mes gardes.

— Le show va bien, Raph. On a passé le week-end à en parler. Je vais pouvoir revenir pendant l'été pour fignoler des trucs, si tu veux, mais… le show va être bon. J'ai pas peur pour ça.
— On travaillera pas ensemble.
— On pourra en reparler—
— Je serai pas capable.
— Okay, Raph. Okay.

Ça va se fissurer en toi comme du plâtre, à partir du sternum. Un torrent de lave qui va remonter ta poitrine jusqu'à ta face et te faire fondre en larmes. Tu vas vomir un cri. Tu vas ramper jusqu'au coin opposé du salon.

— Mais moi j'ai besoin de toi. J'ai besoin que tu continues de venir.

Je vais ouvrir la bouche, mes lèvres vont se pincer pour articuler quelque chose que je vais finir par retenir. Tu vas devenir hyperconscient de ton environnement. Une voiture de police va passer dans ta rue. On va entendre le vent bruisser dans les feuilles, dehors. Ton dos va se secouer violemment à chaque expiration pour laisser sortir des sanglots violents. Je vais m'approcher de toi, mais je vais reculer quand tu vas gueuler :

— Dégage !

Tu vas rester assis, dos contre le mur, dans le coin du salon, à me regarder fixer le sol :

— Peux-tu me donner mes clopes ?

Je vais rester sur place un instant, puis je vais sortir ton paquet de clopes de ton sac et je vais venir le déposer devant toi, comme une offrande à une bête dangereuse, avant de reculer.

Tu vas t'allumer une Benson et tu vas me regarder disparaître tranquillement derrière un nuage de fumée, en profitant de la dose homéopathique de réconfort que la nicotine va pouvoir t'offrir. Je vais tenter :

— Je pense quand même qu'on pourrait retravailler ensemble, un moment donné. Plus tard.
— Je veux pas que tu travailles avec moi par pitié.
— Y a plein de monde qui réussissent à travailler ensemble, même après un breakup.
— Ouais. Mais moi je t'aime, Laurie. Je t'aime en *tabarnak*. Je sais pas si tu comprends.
— Raph—
— Je sais que je t'arrive pas à la cheville, je sais que ç'a aucun câlice de sens qu'on ait été ensemble pis que je devrais être reconnaissant d'avoir juste pu passer *une journée* avec toi mais—
— C'est pas vrai—
— Je me suis jamais senti à ma place avant d'être avec toi—
— Dis pas ça—
— Mais c'est vrai ! C'est vrai ! Penses-tu que je mens ? C'est vrai, tabarnak ! Laisse-moi parler !

Tu vas vouloir baisser le ton, mais tu seras pas capable. Tu vas alterner entre crier, sangloter et chercher ton air, en tentant de me parler :

— Je t'aime, Laurie ! En tabarnak ! Comme j'ai jamais aimé personne ! Faque non, je pense pas qu'on va pouvoir continuer à travailler ensemble, pas si je veux survivre !

Quelque chose dans mon œil va t'indiquer que je vais être tentée de te corriger, de te dire que tu vas survivre, qu'y a pas d'inquiétude de ce côté-là, qu'on meurt pas d'amour. Mais la peur va prendre le dessus, et je vais dire simplement, comme un appel à la trêve :

— Okay.

Tu vas botcher directement par terre avant d'enfouir ton visage dans tes mains. Tu vas marmonner :

— Est-ce qu'y a quelqu'un d'autre ?
— Non. C'est pas ça.
— Faque c'est juste moi, le problème.

La réaction aurait probablement été la même si je t'avais dit qu'il y avait quelqu'un d'autre. C'est pas les raisons qui vont te faire mal. Ça va être le fait qu'il y a une raison de te laisser.

Réaliser ça, ça va te faire comme si on arrachait un hameçon accroché au fond de ton ventre, mais sans le soulagement d'avoir enfin enlevé la source du mal. Le mal, il va être là et il bougera pas. Après un certain temps, tu vas tellement pleurer que t'arriveras pas à reprendre ton souffle et que ça va te faire mal au ventre.

— Veux-tu que... ?

Je finirai pas ma phrase: qu'est-ce que je pourrais faire, au fond? Appeler l'ambulance? Appeler ta mère? Appeler Sam?

Tout ça va avoir l'air de durer cinq, dix minutes peut-être, jusqu'à ce que je te dise:

— Je… je vais y aller, maintenant.
— C'est fou, pareil, hein?
— Quoi?
— Je suis vraiment rendu un vieux garçon tout seul dans son appart de vieux garçon, à partir de maintenant.

Je vais pas trouver quoi répondre. Après un temps, je vais dire:

— C'est vrai, là. J'y vais pour vrai.

Je vais avoir dit ça aussi, au début, quand on se sera fréquentés. *J'y vais pour vrai.* En t'embrassant à répétition contre le cadre de la porte, à m'en mettre en retard au travail, parce qu'on aura été incapables de se séparer, toi et moi. D'y penser va te faire pleurer encore plus.

Quand on va à l'hôpital, on nous demande d'évaluer notre douleur sur une échelle d'un à dix, dix étant la plus intense qu'on ait jamais ressentie. Jusqu'à ta mort, même en ayant traversé une appendicite, un accident de vélo et deux d'auto, deux commotions cérébrales et diverses infections, jamais tu ressentiras une douleur aussi forte. Ce que tu vas ressentir ce jour-là, ça va devenir l'étalon de mesure: dix sur dix.

— Ça te fait quand même pas très bien paraître, tout ça, tu dis.

Ça fait une demi-heure qu'on jase, accotés contre le comptoir de la cuisine. On est nettement plus soûls. T'es pas mal moins gêné devant moi, maintenant. Derrière nous, au salon, une vingtaine de personnes dansent et sautent sur place en gueulant. André traverse le corridor en panique : dans l'entrée, le voisin d'en haut est debout, les bras croisés, un air de bœuf, en train de négocier sur le bruit avec Max Lap. Dans le corridor, tu vois que Sam est en train de jaser avec une fille que tu connais pas.

L'humidité s'est mise à se condenser au plafond. Des petites gouttelettes menacent de nous tomber dessus à tout moment.

— Tu trouves que ça me fait mal paraître ?, je demande.
— Ben, t'as pas l'air très gentille.
— C'est pas gentil, de plus aimer quelqu'un pis d'y dire ?
— Hm. Vu de même.

Tu prends une gorgée de ta bière en me regardant dans les yeux. Tu peux pas t'empêcher de sourire. Tu dois même étouffer un rire.

Ça te caresse l'intérieur, quand tu me regardes dans les yeux. C'est chaud et c'est soyeux et ça pétille partout dans ton corps. T'arrives pas souvent à regarder quelqu'un, qui que ce soit, très longtemps dans les yeux. C'est difficile. C'est difficile et ça fait tellement de bien.

— Quoi ?, je vais demander, amusée.
— Rien, rien. Mais… t'es une drôle de fille.
— J'essaye. Comme je te disais, t'sais, je veux faire ça.
— En tout cas, t'es très bonne pour raconter des histoires qui font peur.

Je pointe vers la porte qui mène au balcon.

— Veux-tu fumer ? J'étouffe, ici.
— Avec plaisir.
— Pis je suis tannée d'avoir du jus d'humoriste de la relève qui tombe dans mon verre.

Tu fais un pas vers la porte, mais je pose ma main sur ton avant-bras pour te retenir. Ça brûle ta peau. La chaleur remonte jusqu'à ton ventre. Ta gorge se contracte et ta respiration ralentit. Érection instantanée.

C'est la première fois qu'on se touche. Tu sais pas si ç'a été purement utilitaire de ma part, ou si ça trahit une intention de me rapprocher de toi. Mais ça fait du bien. Ça fait tellement de bien. Tu voudrais que je recouvre chaque centimètre de ta peau avec mon corps.

Je dis :

— Là, ce qui va arriver, c'est qu'on va sortir dehors, pis Elena Miller va être en train de fourrer dans la ruelle.
— Tu connais Elena ?
— Non. Mais je sais qu'Elena était dans votre classe, à l'école, que tu fourres avec elle deux fois par année, qu'elle

avait l'intention ferme que ce soir soit une de ces deux fois là, pis malheureusement pour elle, t'avais d'autres plans, faque elle s'est rabattue sur son nouveau chum un peu insipide.

Ça t'arrache un rire. Je te traîne vers la porte :

— Viens.

T'as l'impression de subir un choc thermique, tellement la différence de température est grande entre le dedans et le dehors. L'impression de sortir de l'eau, aussi, tellement l'air en dedans est humide et puant.

— Regarde en bas, je dis.

Faut que tu retiennes un rire dès que tu poses les yeux sur la ruelle, en bas.

— Chut !, je dis.

Tu reconnais la grosse chevelure frisée d'Elena, sa tête penchée vers le bas, ses bras appuyés contre un poteau de téléphone, pis derrière elle, les longs bras tatoués de son chum, son cul fuyant qui fait des allers-retours en la tenant par la taille, sa tête relevée vers le ciel, son souffle bruyant qui résonne sur les clôtures autour, un léger nuage de condensation qui sort de sa bouche à chaque souffle. Tu tournes les yeux vers moi, dépassé :

— Comment tu fais ?
— Pour ?
— Pour savoir tout ça.

Un sourire triste me traverse le visage :

— Je révèle pas mes sources.

Tu voudrais aller plus loin, mais t'oses pas, de peur de me faire reculer, que je te trouve trop intense, trop envahissant. Tu poses les yeux sur Elena, en bas, avant de dire :

— Je veux pas continuer de regarder pis pourtant je peux pas m'empêcher de regarder.
— I know, right ?
— J'avais pas nécessairement envie de voir l'estie de douche fourrer.
— Y a l'air de savoir ce qu'y fait, remarque.

J'arrive à te faire rire encore. Tu vas être obligé de mettre ta main devant ta bouche, pour pas les alerter.

— Pis t'sais, du monde qui fourre, peu importe c'est qui, c'est toujours un peu excitant, je vais ajouter.
— Dépend.
— Viens pas me dire que t'es pas bandé.

Tu me regardes deux secondes dans les yeux, sans répondre, haletant. M'arracher mon linge. M'embrasser. Me prendre. Mais :

— Okay, tu dis, faut vraiment qu'on se retourne, ça va être trop gênant.

Et on bouge pas, évidemment.

— À go, tu dis. Un, deux, trois…

T'es le seul à te retourner. En t'appuyant contre la balustrade, dos à l'action, juste à côté de moi, tu sors ton paquet de clopes de ta poche, tu nous sers chacun une cigarette et tu nous allumes.

— Évidemment que t'allais pas te retourner, tu dis.
— Écoute, je dis, si tu fais ça à la vue de tous comme ça, c'est clairement que tu veux que le monde te voie. Je peux littéralement pas regarder ailleurs.
— T'es épouvantable.
— Si tu le pensais vraiment, tu finirais pas par rentrer avec moi ce soir.

Tu tournes le regard vers moi, très intéressé, et tu dis :

— Parce qu'on va rentrer ensemble ?
— Je te l'ai déjà dit, ça.
— Je faisais juste double-check. Quand est-ce qu'on s'embrasse, d'abord ?
— Pas tout de suite.

Tu entends un grognement, très loin derrière toi. Puis un tintement, quelque chose comme du métal : une boucle de ceinture qu'on rattache.

— Le douche vient de venir, pour ton info.
— C'est la dernière chose que je voulais savoir, mais merci.

Tu me regardes dans les yeux. Tires une longue bouffée sur ta cigarette.

— Il se passe quoi, après ?

Tu vas texter Sam en disant simplement *Je viens de me faire crisser là.*

Ça va être une journée magnifique. Les lilas vont être en fleurs. Ton voisin va être en train de promener son bébé golden quand tu vas sortir de chez toi. L'air va être léger, avec l'odeur de l'été qui fait tout juste commencer et qui est rempli de promesses.

T'arriveras pas à respirer parce que tu vas trop pleurer.

Au péril de ta vie, tu vas prendre ton vélo pour te rendre sur la terrasse où Sam va être en train de boire avec Max Lap et André. Tu vas avoir perdu tout contact avec la réalité. Tu seras plus capable de percevoir les dangers dans ton environnement. Tu vas passer près de te faire renverser par un autobus en brûlant une rouge, et tu vas éviter de justesse une portière qui va s'ouvrir juste devant toi pendant que tu descends dans une côte à pleine vitesse. Tu vas regretter d'avoir été épargné.

Parce que si t'étais étalé au milieu de la chaussée, une jambe arrachée, inconscient, avec du sang qui te sort par la bouche, les gens ils te verraient et ils voleraient à ton secours. Alors que là, tu vas être en train de vivre la pire douleur de ta vie, sans hyperbole, la pire point barre, dix sur dix, et tu vas attirer aucune sympathie. Un gars qui pleure à en hurler sur le trottoir à quatre heures de l'après-midi, lui, il attire pas la pitié. Il fait peur.

Tu vas m'imaginer apprendre que t'as été fauché par un camion de vidanges. La culpabilité que je pourrais ressentir. Combien je m'en voudrais. Et ça va te faire chaud, en dedans. Ça va te faire tellement chaud au cœur, de m'imaginer regretter t'avoir laissé.

Mais rien de tout ça va arriver : tu vas te rendre au bar en un seul morceau.

Quand tu vas enfin t'être installé sur la terrasse, en empiétant sur l'espace de la table voisine sans t'excuser (tu vas te contenter de leur dire *je vais faire chier ce soir, habituez-vous, je viens de me faire crisser là*), après avoir sauté par-dessus la barrière plutôt que de passer par l'entrée comme un humain civilisé, toute ta poussée d'adrénaline va se dissiper d'un coup et tu seras plus capable de maintenir le moindre tonus dans ton corps. T'arriveras plus à parler. Tu vas te laisser glisser sur la banquette de la terrasse en regardant le sol et en marmonnant des réponses aux questions d'André et de Sam et de Max que tu comprendras même pas.

Tu vas être forcé de puiser un minimum dans tes réserves d'énergie quand la serveuse viendra te voir :

— Qu'est-ce que je te sers ?
— Qu'est-ce que tu servirais à un gars qui vient de se faire crisser là ?

Elle va t'offrir un sourire compatissant.

— Je m'occupe de toi, mon beau.

Les gars vont louvoyer avec du small talk, incapables de trouver la bonne phrase à dire. Sam va offrir :

— C'est peut-être mieux de même, t'sais.
— De quoi tu fucking parles ?, tu vas demander.
— Est-ce que Laurie t'a dit qu'elle t'aimait plus ?
— Oui.
— Ben tu l'as, ta réponse. Tu veux pas être avec la fille qui t'aime plus. Je sais que c'est pas facile à digérer, mais c'est simple de même.

La serveuse reviendra avec un plateau dans les mains :

— J'ai une pinte de mon IPA la plus amère…

Elle va déposer délicatement un sous-verre devant toi. Tu vas te demander si elle fait exprès pour te montrer son décolleté ou si c'est ta rupture qui t'a transformé en gros dégueulasse qui voit des invitations partout.

— … pis je vous offre des vodkas pickles, on the house, pour t'aider à faire descendre tout ça.

Elle va déposer quatre petits shooters, parfaitement préparés, deux onces précisément, avec de la bonne vodka, des cornichons de la bonne taille. Et la pauvre, pour la remercier, tout ce que tu vas trouver à faire, c'est fondre en pleurs.

La soirée va s'étirer à l'infini. Max et André et Sam vont s'assurer que t'as toujours une pinte au moins à moitié pleine devant toi, tout au long du cinq à sept, et t'auras jamais à sortir ton portefeuille. La serveuse va vous apporter quelques (trois? quatre? tu sauras pas) rondes de shots pour se racheter de t'avoir fait pleurer. Du gin, du mezcal, tout sauf des vodkas pickles, pour éviter de te déclencher. Les gars vont arriver à tourner ça en blague, et ça va faire rire la serveuse. Tu vas te sentir obligé de rire, toi aussi, pour faire partie de la gang. Tu vas réaliser que quand on se force à sourire avec obstination, on arrive à croire qu'on est bien, même si ça dure juste quelques secondes.

Quand il va commencer à faire noir et que la soirée va se rafraîchir, les gars vont te traîner quelques coins de rue plus loin, au Terminal, pour voir un show. Tu vas refuser d'abord:

— Je pense pas que c'est une bonne idée.

Max Lap va froncer les sourcils, pas convaincu:

— Après t'avoir crissé là, Laurie irait voir une soirée au Terminal? Je penserais pas, non.
— Mais moi j'y vais, tu vas dire. Pourquoi elle, a irait pas?
— Toi tu y vas parce que toi, t'as le droit, en ce moment, Sam va dire. Laurie, elle, a'l a pas le droit.

— Je penserais pas, non, tu vas dire.

Sam va devenir un peu plus sérieux et va poser une main sur ton épaule.

— Non, mais regarde. Si 'est là, soit on décrisse, ou, mieux encore, on y dit de décrisser pis ça va être divertissant.

Ça va être suffisant pour te convaincre de passer la porte et de monter au deuxième étage du Terminal, mais pas assez pour que t'arrives à te détendre ni que tu puisses faire autre chose, en attendant que les lumières baissent et que le show commence, que toujours garder un œil sur l'entrée, de peur que je surgisse dans l'escalier et que je traverse la salle pour venir te sauter à la gorge pis te tailler en pièces. Faudra que deux numéros passent, au moins, pour que tu te convainques que non, que c'est impossible que j'arrive aussi en retard, et tes épaules vont descendre d'un pouce.

Mais l'attention que tu vas enfin arriver à diriger sur le show te fera pas sentir mieux. Le troisième numéro, un first-timer, un gars qui s'est fait connaître sur Instagram avec des capsules quand même pas si mal, sera pas très à l'aise sur scène, et il va jeter un froid dans la salle, parce qu'il va mal négocier le ping-pong avec le public. Sa respiration va être tendue, et ses blagues, quand même pas si mal écrites, vont tomber à plat. Par réflexe, tu vas te tourner vers la droite pour échanger un commentaire méprisant avec moi, pour réaliser que non, c'est vrai, t'es pas avec moi, et tu le seras plus jamais.

Quand tu vas te lever pour aller pisser, à l'entracte, tu vas réaliser que t'es plus capable de te tenir droit, et

Sam va s'en rendre compte avant même que tu puisses souffler un mot. Il va t'entraîner vers la loge pour féliciter Arthur, un gars de la promo après la vôtre à l'École qui était le premier sur le lineup, mais dont t'auras pas retenu une seule ligne du numéro, et il va t'asseoir dans le fauteuil de la loge. L'air humide va te donner envie de vomir. Sam va sortir un sachet de poudre de la poche intérieure de son bomber jacket et va en verser un petit monticule sur la table, puis va le séparer en trois lignes avec sa carte de crédit. Il va rouler un vingt dollars et te le tendre en premier :

— Si tu continues comme ça, tu survivras pas jusqu'à onze heures. Envoye.

Tu vas essayer de répondre des mots, mais tu vas juste produire un gémissement. Tu vas te contenter de sniffer la ligne que Sam va t'avoir gracieusement préparée, et ça sera comme si la caméra de la soirée refaisait sa mise au point et que le flou disparaissait. Un moment de clarté suffisant pour te permettre de suivre l'action autour de toi à nouveau, de comprendre les conversations, de couper ton envie de puker.

Sam va te tirer par la manche en saluant Arthur de la main et va te traîner en bas. Il va sortir un paquet de clopes de son coat, t'en placer une dans le bec, t'allumer. La nicotine va t'offrir une couche de lucidité de plus : tu vas avoir perdu le compte de combien t'as bu, mais ça sera certainement beaucoup, et là, tu vas pourtant arriver à te sentir presque sobre. Sam va te regarder dans les yeux en te frottant l'épaule :

— T'es correct, man. T'es correct. Répète-toi ça, okay ?

— Yes.
— Pis fuck Laurie. Okay ?
— Je suis correct. Pis fuck Laurie.
— That's it, man. Mais là, dis donc ça avec de la conviction.

Tu vas ressentir une étincelle de joie, peut-être, malgré tout, quelque chose qui va te réveiller et arriver à te tirer un sourire. Tu vas serrer ton ventre, tu vas appuyer fort sur ton diaphragme, et tu vas gueuler tellement fort que ça va résonner à deux blocs à la ronde :

— Je suis correct, pis fuck Laurie ! Fuck Laurie !

Sam va éclater de rire, se replier sur lui-même, venir s'appuyer sur toi pour pas perdre l'équilibre.

— T'as aucun sens, man ! Tu vois ? Je te l'avais dit !

Tu vas répéter encore plus fort :

— Je suis correct, pis FUCK LAURIE !

Deux passantes, assez jeunes, peut-être de ton âge, peut-être des ados, vont se retourner pour t'offrir le regard le plus méprisant de l'histoire. Sam va éclater de rire de plus belle. Tu vas réaliser que l'effet thérapeutique du cri s'est estompé, que t'es arrivé à y croire un instant, mais que ça pouvait pas durer. Mais pour faire plaisir à Sam tu vas sourire. Tu l'auras jamais vu comme ça, aussi généreux avec toi, et aussi préoccupé par toi, sans arrière-pensée, sans te lancer de pointe, après, pour rééquilibrer la balance du pouvoir, et tu vas te dire qu'il fallait peut-être un moment comme ça pour que Sam révèle qu'il t'aime vraiment, et qu'il se soucie de ton bonheur, même si, pour vivre en société, c'est de bon ton de se planter des couteaux dans le dos, pour montrer qu'après tout, on veut tous réussir. Tu vas dire:

— Merci, man.
— C'est rien.
— Je sais pas ce que je ferais si t'étais pas là.
— De la marde, probablement. Viens donc ici.

Il va te faire signe de t'approcher, avec sa main. Va venir te serrer dans ses bras. Il va murmurer dans ton oreille, en te frottant le dos:

— Je te le dis, tu vas être correct. Je sais pas combien de temps ça va prendre mais tu vas être correct.

Profitant de ton instant de faiblesse, il va glisser ses mains le long de ton flanc, et d'un mouvement sec, il va baisser ton pantalon et t'envoyer la plus puissante, la plus violente, et la plus précise claque sur une fesse que tu vas avoir reçue de ta vie. Tu vas pratiquement pouvoir sentir la forme de sa main chauffer sur ta peau pendant que tu vas être debout, nu-graine, nu-fesses, sur Mont-Royal. Par la fenêtre ouverte d'un autobus qui va passer sur la rue, une vieille madame va te fixer avec un sourire de chipie.

Tu vas te pencher pour remonter ton pantalon. Tu vas réaliser que t'es vraiment en train de montrer ton cul à tout le monde. Tu vas encore être pris d'un fou rire. Tu vas te replier sur toi-même, les bras sur ton ventre. Tu seras pas capable d'arrêter de t'esclaffer. En t'étouffant presque, tu vas tanguer vers l'avant. L'asphalte va rencontrer ton front, avec tes genoux sur le sol, le cul levé au ciel, ta cenne offerte au regard de tous les passants, et il va falloir que t'attendes plusieurs longues secondes avant de reprendre le contrôle de ta respiration, pour enfin être capable de trouver la coordination pour rouler sur l'asphalte, te remettre sur pied, te relever et monter ton pantalon. Sam va te tirer vers le deuxième étage du bar juste à temps pour que vous retrouviez vos places au moment où l'animateur remontera sur scène pour réchauffer le public pour le deuxième acte, et tu vas réaliser que t'as un bout de gravier, ou peut-être du verre, qui s'enfonce dans ta fesse, et plutôt que de te faire mal, ça va t'amuser : toute forme de douleur qui viendra pas de moi sera une façon bienvenue de changer le mal de place.

Vous allez partir avant la fin comme des voleurs et vous allez migrer naturellement vers le West Shefford, sans que personne l'ait vraiment décidé. Sam va laisser Max Lap et André prendre les devants et va te tirer par la manche pour que tu le suives dans un dépanneur sur Mont-Royal.

L'endroit va sentir les bananes trop mûres, la vieille bière qui colle dans les cannettes rapportées pour la consigne, et le chien mouillé. Les néons vont te brûler la rétine: ça va jurer avec l'obscurité relative dans laquelle tu vas avoir baigné depuis le début de la soirée.

Sam va s'approcher du comptoir.

— Je prendrais un paquet de Benson vingt-cinq.

Le gars à la caisse, de votre âge environ, petit, pas souriant, pratiquement invisible, va se retourner vers l'étagère derrière lui, va soulever le rabat en métal, va prendre un paquet qu'il va déposer sur le comptoir de la caisse, par-dessus l'étalage de Poule aux œufs d'or et de Banco et de Gagnant à vie.

Sam va le regarder dans les yeux pendant deux secondes, très sérieux. Il va murmurer, avec un air neutre que tu vas jamais lui avoir vu:

— J'ai déjà acheté des allumettes ici.

Le caissier va lancer un regard vers la porte d'entrée. Il va appuyer sur un bouton sous son comptoir. Tu vas entendre la porte d'entrée se verrouiller.

Quand il va ressortir sa main de sous le comptoir, son poing va être fermé. Sam va tendre un billet de cent piasses. Le caissier va ouvrir son poing au-dessus de la main de Sam et y faire tomber un petit sachet de poudre. Il va appuyer sur le bouton sous le comptoir à nouveau, et tu vas entendre la porte du dep se déverrouiller. Le caissier va dire, le plus naturellement du monde :

— Ça va faire quinze et vingt-cinq.
— Crédit, Sam va dire.

Sam va passer sa carte sur le lecteur, va prendre son paquet.

— En vous remerciant, Sam va dire en le regardant dans les yeux.

— Bonne soirée, le caissier va répondre du tac au tac.

Rendu dehors, Sam va dire :

— C'est fucking overpriced, pis c'est probablement coupé avec du verre pilé, mais en dernier recours, ça fait la job.

Sam va t'entraîner dans une ruelle, derrière un conteneur à déchets, et va ouvrir le sachet devant ton visage. Tu vas garnir le bout de ta clé de char du contenu du sachet et tu vas l'aspirer avec une narine. Ça va être froid et abrasif et tu vas la sentir descendre dans ta gorge en répandant un goût de Tylenol et tu vas immédiatement te sentir mieux, plus sharp et plus beau et plus agile. Ton ouïe va devenir plus fine. Les voitures dans la rue de l'autre côté du bloc, le rire de deux filles qui passent derrière en jasant, le grésillement du réverbère au-dessus de vous, tout va être plus clair.

Vous allez arriver à temps pour attraper le dernier numéro, Jérémie, un gars sympathique mais pas très drôle qui va faire mal à voir et que le public va applaudir par pitié. Sam va se faire accrocher par une fille qui aura plus l'air d'être une fan qu'une amie, à voir la fréquence à laquelle elle va rire. (Ça sera chaque fois que Sam finira une phrase, en fait. Ça va te donner le goût de renverser ta bière sur ses cheveux compliqués.)

Le bar va être plein, et tout va être laborieux : trouver un chemin pour aller pisser, réussir à se commander une bière, retrouver les gars dans la foule. Ça va te forcer à te concentrer sur l'essentiel : alcool, poudre, pisse.

Tu vas réussir à survivre jusqu'au last call en ayant aucune conversation le moindrement cohérente. Le mieux que tu vas pouvoir faire, ça va être d'échanger des sourires et de faire des oui de la tête en prétendant que t'entends ce que les autres disent. Tu vas t'en sortir avec seulement deux ou trois malaises, quand tes interlocuteurs vont réaliser que tu fais semblant de les écouter en souriant comme un épais. De toute façon, Sam va être trop occupé à parler à la petite qui va s'être agglutinée à votre groupe ; André et Max Lap, eux, ils vont avoir abandonné le projet d'interagir avec toi depuis longtemps, mais ils vont avoir la politesse de t'offrir des shots de temps à autre et de te faire des thumbs up et des claques dans le dos pour te signifier qu'ils t'aiment bien, mais que t'es trop de gestion en ce moment. Pour le reste, tu vas survivre en écoutant parler une fille que t'as fréquentée deux semaines au cégep, un comédien avec qui t'as joué au hockey deux fois et un gars avec qui t'as fait de l'impro au secondaire.

Tu vas être en train d'émerger de la salle de bain pour la onzième fois de la soirée quand Max Lap va te faire signe de le suivre.

— On s'en va chez nous !

Et juste comme il va finir sa phrase, tu vas voir un taxi van apparaître devant vous, sorti du néant, et un battement de cils plus tard tu vas être en train de rattraper la petite teinturée par les bras parce qu'elle va avoir perdu pied dans l'escalier menant à chez Max Lap et aura failli te débouler dessus. Tu vas lui dire :

— Là, toi, on te connaît pas, faque viens pas ruiner notre soirée en nous forçant à t'amener à l'urgence parce que t'as déboulé les marches, veux-tu ?

Elle va avoir un mouvement de recul. Elle va avoir peur de toi, clairement. Tu vas éclater de rire pour désamorcer. Ça la détendra pas. Devant toi, Max Lap et André vont faire pareil, pour montrer que oui, effectivement, tout ça c'est pour rire. Même si au fond, ça le sera pas tant. Vous aurez pas la tête à faire la conversation à une fan de Sam, mais Sam sera bandé, donc faudra faire avec.

L'appart de Max Lap va sentir le weed et la litière à chat. Les murs vont être blancs avec rien dessus, pas de poster, pas de cadre, rien, il va y avoir quatre bâtons de hockey dans l'entrée, des boîtes de pizza entassées sur la table à café du salon, des bières vides sur la table. Il va avoir laissé son laptop ouvert, probablement pour montrer à qui visiterait son appartement qu'il travaille fort pour devenir un humoriste respectable.

Il va tasser son laptop et lancer les cannettes dans la poubelle. Il va se pencher sur le frigo, puis ouvrir une armoire, et revenir vers la table avec trois Pabst, un quart de bouteille de Johnny Walker et un fond de Jack Daniel's.

— C'est pas beaucoup, mais c'est ce que j'ai.
— Tu nous reçois, on va pas faire nos regardants, André va dire.

Sam va déposer son sachet de poudre sur la table. Il va rester un trait blanc de deux millimètres d'épaisseur, environ, au fond. Il va dire :

— Est-ce que vous avez de la neige, par exemple ?
— Fuck, j'aimerais tellement ça te dire oui, mais non, la petite va dire.

Vous allez la regarder sans répondre, Max Lap et toi, assez longtemps pour qu'elle comprenne que vous méprisez chacune de ses interventions.

— Ouais, non, Max Lap va dire.
— Correct, Sam va dire en sortant son téléphone de sa poche. Il m'en reste un tout petit peu, pis… j'ai un numéro.

Ni Max ni André ni toi allez avoir de numéro, et ça va vous complexer un peu : pas avoir de plogue, ça transforme en sangsue, ça rend dépendant des autres, qui eux ont de l'accès. Et si on pousse la logique plus loin, ne pas avoir de numéro, c'est signe qu'on manque de street smarts, qu'on n'est pas assez habile, dans une soirée, pour trouver rapidement avec qui se tenir pour obtenir les entrées privilégiées. Ne pas avoir de numéro, c'est ne pas être cool. Mais Sam, lui, il est cool. Et il te le rappelle souvent : tu lui as demandé son numéro quelques fois, et chaque fois, il a répondu que oui, oui, il allait te le donner, et puis finalement il donnait pas suite, et tu voulais pas insister, de peur d'avoir l'air encore plus couille en étant celui qui quémande.

Quarante minutes plus tard, quand vous allez être rendus à gratter le fond du sachet avec une spatule pour récupérer des traces microscopiques de poudre et à vous frotter les gencives avec les résidus à vous en faire saigner, ça va sonner à la porte. Quand Sam va se lever, tu vas le suivre et lui dire, à voix basse :

— Est-ce que tu pourrais lui demander si je peux avoir son numéro ? Je pense que je vais en avoir besoin.

Sam va te faire un oui de la tête avec un sourire complice, et tu vas venir te rasseoir avec Max Lap et André, qui vont être en train de décortiquer gag par gag le numéro de Jérémie que vous aurez vu plus tôt, pendant qu'André va noter tout à mesure dans le but d'envoyer les notes à Jérémie le lendemain.

Jérémie vous aura pas demandé de notes. Jérémie est même pas vraiment votre ami. Une bonne connaissance, au mieux. Vous serez beaucoup trop gelés pour réaliser ça.

Ton téléphone va vibrer : ça va être Sam qui va t'envoyer un numéro, sans plus d'explication.

Il va revenir de l'entrée quelques secondes plus tard, le pas léger, et va déposer un sachet pas mal plus gros sur la table en disant, d'un ton rassurant :

— On est corrects, les chums.

Il va t'offrir un sourire discret, l'air de dire *de rien*, et va vous préparer des lignes sur la table avec le soin d'un sushi chef. Le TDAH de Sam se manifeste de drôles de façons, des fois : il était pas capable de suivre convenablement dans un cours théorique de plus de trente minutes, à l'école, mais il peut se perdre pendant deux heures à classer les applications de son téléphone par couleur, oublier trois rendez-vous pour faire le ménage de son appartement, ou tomber en hyperfocus au point de s'effacer d'une discussion pour une tâche aussi anodine que préparer quatre lignes de poudre. Max Lap va te dire, en le regardant faire :

— Mais là, tu vas faire quoi, pour ton show ?

Sam va relever les yeux de la table :

— On parle pas de ça. Le pauvre gars en a eu assez pour aujourd'hui.
— Non, tu vas dire. Ça va. La poussière est retombée.
— Ça fait six heures, Sam va dire. La poussière est pas retombée.
— Je passe une bonne soirée, là. Je me sens bien.

Sam va hocher la tête. Tu vas continuer :

— On en a parlé. On pense pas que ça serait une bonne idée de couper notre collaboration, surtout avec la première qui est dans cinq mois. Je veux dire, on vient d'entrer en salle, on va pas réécrire tout le show.

T'auras pas les couilles d'admettre que tu m'as suppliée qu'on retravaille pas ensemble. À genoux.

— Pis t'as pas de problème avec ça?, André va demander.
— Non, non. On est des adultes. Pis ça serait une grosse perte, qu'on travaille plus ensemble. On n'a rien à gagner de couper ça.
— C'est cool, si vous réussissez à garder une bonne relation.
— Je pense pas, Sam va dire. Non. Faut arrêter ça maintenant. Faut pas que tu laisses ta carrière dépendre de Laurie, mon gars. T'es en train d'avoir ton big break. Laisse-la pas te voler ça.

Tu vas vouloir lui répondre, mais la petite va s'écrier:

— Tu viens de te faire laisser?
— Oui.
— Ça fait combien de temps?
— Ben pas mal six heures, comme Sam disait.
— Pis tu t'en sors bien?

Sa voix va être très stridente. Tu vas hésiter:

— Je sais pas, je—
— Faisait longtemps que vous étiez ensemble?
— Genre deux ans.
— Moi je serais complètement démolie, à ta place.
— Je peux m'ouvrir les veines devant toi, si t'aimes mieux.

Les gars vont éclater de rire. La fille trouvera pas ça drôle.

— Fais-y pas trop peur, Sam va dire. J'ai quand même l'intention de coucher avec.

Ça va faire sourire Max Lap. La fille va baisser les yeux. Sam va sortir un billet de vingt de son portefeuille.

— C'est prêt, guys.

Le soleil va être levé depuis plus que deux heures quand ton téléphone va sonner. Vous allez avoir réussi à envoyer la petite au dépanneur au coin de la rue après qu'ils auront débarré les frigos de bière, à huit heures, et vous serez en train de siroter une belle Pabst fraîche en grinçant des dents.

Il va rester peut-être un quart du sachet que Sam va avoir commandé. Sam va être en train de fumer un joint, debout sous la hotte, pendant que la fille va être accotée sur le comptoir, devant lui, en train de se limer l'émail à force de serrer la mâchoire, et va tenter d'intervenir dans la conversation sans jamais être capable de placer un mot ou deux, parce que Max Lap va être en train d'exposer son plan de créer un nouveau festival d'humour alternatif, moins mainstream, pour présenter des trucs plus edgy sans avoir à se soucier de la marketabilité, pendant que tu vas ponctuer son discours de *exact* et de *ouais* enthousiastes. Ton cerveau va être frit par la coke depuis trois heures, au moins, et malgré tout, tu vas avoir continué, parce que tu vas avoir remarqué qu'à chaque fois que l'effet de la coke va s'être dissipé, ton regard va partir dans le vide, et tu vas te mettre à fixer un coin de l'appartement glauque de Max Lap, ça va te faire sortir de ton corps pour m'imaginer moi, au même moment : ce que je vais être en train de faire, où je vais être, avec qui, dans quel état.

La réponse va être évidente, à chaque fois: je vais probablement être en train de me réveiller tranquillement, détendue, reposée, délestée du poids de devoir laisser mon chum rushant, et quand tu vas voir ça, tu vas sentir monter les larmes et tu vas te repencher sur la table pour prendre une ligne de poudre et ça va passer. Pour quelques minutes ça va passer. Prendre une ligne de poudre va te permettre pendant quelques minutes de te sentir maître à nouveau, de te rappeler qu'au fond, je suis une sale conne qui a aucune idée de ce qu'elle manque, et que ça va me sauter aux yeux, la prochaine fois que je vais te voir sur scène, ça va me sauter aux yeux que tout ça c'est une grosse erreur.

Tu vas être en train de finir une ligne quand tu vas voir que Thomas t'appelle.

— Raph?

Trop souriant.

— T'es où, là?
— Euh… chez Max, pour?
— Chez Max? Max qui?
— Max Lap.
— À huit heures et vingt?
— Ah. Y'est si tard que ça?
— La radio vient de m'appeler. Y me demandent si t'es en route. T'es censé être en ondes dans dix minutes.

Tu vas devenir sobre d'un seul coup.

— Fuck. Je me rendrai pas.
— Ta chronique est prête, toujours?

Tu vas avoir envoyé ton sujet, le vendredi, avant de partir pour le week-end, mais t'auras pas exactement eu la tête à travailler là-dessus, non.

— Ben ouais, ben ouais. Fallait juste que— que je droppe quequ' chose chez Max Lap. Mais le trafic—
— Tu te rendras pas à temps, j'imagine ?
— Je— Non.

Tu vas faire signe à Max Lap de couper la musique. Tu vas t'éloigner de la table pour regarder par la fenêtre. Il va y avoir un camion de vidanges, au milieu de la rue, et un éboueur en train de faire une performance olympique avec ses lancers de sacs à ordures qui va jogger à sa suite. Un homme en complet, téléphone sur l'oreille, en train de monter dans une Audi. Une prostituée qui va lui faire de l'œil.

Une sensation de mort imminente.

— Veux-tu que j'annule ? Ou aimes-tu mieux la faire au téléphone ?

Tu vas m'imaginer, en train de me faire à déjeuner, seule chez moi, debout, la radio ouverte, le café fumant sur le comptoir, à écouter l'émission distraitement. Tu vas m'imaginer lever un sourcil en entendant l'animateur farfouiller pour remplir du temps, quand il va réaliser qu'il lui manque six minutes de contenu pour boucler son heure. Tu vas m'imaginer conclure que ça y est, je t'ai démoli, que t'es faible et que t'es incapable de faire face au moindre affront que la vie, ou moi, on place sur ton chemin.

— Je vais, euh, je vais le faire. Au téléphone. Si c'est correct pour eux.
— Je les rappelle pis je te texte si tout est beau, okay?
— All right.
— Refais pas ça trop souvent, je pense pas que c'est exactement le party en régie en ce moment.
— Ben non, ben non. T'sais ce que c'est, le trafic.
— Oui, oui, oui, à tantôt.

Tu vas raccrocher, te retourner vers les gars et, surtout, vers la petite:

— Guys, j'aurais besoin que vous vous fermiez la gueule pour six minutes. Je suis vraiment dans' marde.

— Donc Raph, tu voulais nous offrir un petit guide sur comment organiser des bonnes vacances, c'est ça?

La réalisatrice va avoir été sèche comme du papier sablé en répondant, au studio. Tu vas avoir eu droit à un *c'est bon je te patche dans le studio dans quelques instants* comme seule salutation. Puis, de la part du technicien: *on dirait que t'es dans ta salle de bain, peux-tu changer de place?*

Tu vas être sorti de la salle de bain de Max Lap. Tu vas avoir demandé à Max Lap, à Sam et à la petite de sortir fumer quelques minutes, pour que tu t'installes dans le salon, histoire d'avoir un meilleur son.

— Ouais, exact, je suis allé passer un week-end entre amis pis je me suis dit que ce serait peut-être pertinent de partager mon expérience avec vous, pour permettre aux auditeurs d'éviter des situations embarrassantes, parce que dans le fond, hein, c'est à ça que je sers: me mettre volontairement dans la merde pour vous éviter le trouble. On est une émission de service!
— Bon, alors on commence par quoi, Raph?
— La première chose que je vous suggère, ce serait de toujours prévoir une porte de sortie! Des vacances, c'est le fun, mais ça peut toujours virer au cauchemar assez rapidement. Tu pars en camping avec ton meilleur chum, pis tu réalises que c'est un dormeur de type

zigneur, pis que t'as justement la forme d'un oreiller de corps : porte de sortie !

Un rire, à travers le crépitement de la ligne, puis :

— Mais là, une porte de sortie, on parle de quoi ?
— Ben c'est ça, là, tous les classiques sont permis ! Rond de poêle allumé, rendez-vous oublié, une petite bosse à une place bizarre, un enfant illégitime. Tant que la porte mène à la sortie !
— Okay, okay, je comprends, mais là, mettons que ta semaine dérape pis que tu dois utiliser ton excuse pour t'enfuir, comment tu procèdes ? Parce qu'on peut quand même pas se sortir de toutes les situations…
— C'est ça l'affaire, c'est que ça demande une certaine planification. Généralement, l'idéal, ça serait d'avoir une façon rapide pis efficace de rentrer chez vous. Par exemple, si t'es en road trip avec des amis, on suggère d'y aller avec ton propre véhicule.
— Ah, ben fallait y penser, ça !
— Ben oui ! Mais plus généralement, on suggère de limiter les voyages à une distance qui te permet de rentrer chez vous rapidement pis efficacement. Par exemple, si t'es à quelques enjambées de chez vous, c'est beaucoup plus commode quand ton partenaire de voyage (et ancien ami) commence à humer l'air frais pis à micromanager tes collations. Jamais le fun, se rendre compte que ton bon chum devient la fille de *Eat Pray Love* quand il se sent en vacances. Une autre solution, c'est aussi de limiter les risques potentiels : si on évite par exemple de voyager avec des gens, les risques de malaise sont pas mal moins grands. Pis si on s'en tient à des activités à faible risque, comme écouter la

télévision, jouer à *Mille Bornes* ou penser à des sports qu'on aime, ça aussi, ça évite les mauvaises surprises, comme se retrouver sur une île desservie par un traversier qui passe juste une fois par jour pis être pogné là sans possibilité de t'enfuir même si ta blonde vient de te crisser là pis que tu cherches des clous rouillés sur la plage dans le but de t'enfoncer ça dans la gorge pis de mourir d'un tétanos foudroyant avant l'arrivée du prochain traversier !

Tout le studio éclate de rire, de l'autre côté de la ligne.

— Donc vraiment, road trip de gang idéal, je vous conseillerais de rester chez vous, de pas voir personne, pis de checker Netflix ! Si vous voulez vous sentir vraiment wild, faites jouer *Life Is a Highway* en vous rendant aux toilettes !
— Merci beaucoup pour tes précieux conseils, Raph, avec ça je le sens qu'on va pouvoir voyager loin pis vivre toutes sortes de nouvelles expériences, je sais pas ce qu'on ferait sans toi !

Je sais pas ce qu'on ferait sans toi.

Ça va t'arriver quand tu vas entendre une phrase dont tu peux détourner le sens pour l'appliquer à moi. Ça va être assez pour te tailler en pièces. La confiance que tu vas avoir accumulée toute la nuit en sniffant de la poudre et en offrant une chronique potable sans l'avoir préparée une seconde, elle va fondre en un instant quand tu vas t'entendre penser *je sais pas ce que je ferais sans toi.* T'auras pas la moindre idée de ce que tu vas faire sans moi. Tu sauras même pas comment continuer ta journée.

Mais ça, ça paraîtra pas en ondes : on va déjà être passé au prochain appel, et la réalisatrice va être de retour avec toi, pétillante, comme si elle avait complètement oublié que t'avais failli lui chier dans les mains :

— T'étais super bon, Raph ! Toujours un plaisir !
— À la semaine prochaine, là !

Ton téléphone va sonner quelques secondes après qu'elle aura raccroché.

— Estie que tu m'as fait peur, man !

Thomas.

— Mais comme d'hab, toujours parfait. Très sharp. Tu passes bien à la radio, mon Dieu que tu passes bien à la radio.
— Y seront pas en criss ?
— Tant que tu leur fournis leur six minutes de contenu, pis que le monde en studio rit, tu peux être un tas de pisse, mon gars, pis tout va être correct. C'est le monde pas bon qui peut pas se permettre de pas être gentil. Toi, tu pourrais être Guy Turcotte que le monde te le pardonnerait.
— C'était drôle ?
— 100 %. Le bout sur ta blonde qui te laisse, j'ai ri. Imagine si c'était arrivé.
— Es-tu fucking sérieux, Thomas ?
— Quoi ?
— T'étais où, en fin de semaine ?
— Hein ?
— T'as rien, rien vu ?
— Ben non, je veux dire…

Une suspension, sur la ligne.

— T'es sérieux ? Laurie t'a laissé ?

Va falloir que tu t'appuies sur le comptoir, parce que ça sera en train de revenir comme une vague de trente pieds qui se brise sur toi : ta lèvre inférieure qui tremble, les larmes aux yeux, les couteaux qui se plantent dans le ventre.

— Je vas mourir, Thomas. Je vas fucking mourir.
— Non. Capote pas, okay ? On va prendre ça une affaire à' fois. Je vais annuler tes rendez-vous pour aujourd'hui, je viens te chercher, pis on se fait un plan de match, okay ?

Thomas aura beau faire tous les plans de match qu'il voudra, tu seras pas réchappable, en tout cas pas immédiatement. Oui, oui, il va faire tout ce qu'il faut pour te faire sentir important, il va t'emmener au spa, te payer un massage que tu vas devoir interrompre pour vomir (t'auras quand même bu une quantité phénoménale d'alcool mais t'auras rien senti de tout ça, à cause de la coke), il va faire reporter ton show du lendemain en disant qu'une date de rodage, comme ça, ça se remet, et le lendemain soir, tu vas réaliser qu'être assis chez toi à regarder Netflix en te sifflant une caisse de douze, ça aide pas à te rendre plus heureux, alors tu vas lui dire de plus annuler une seule date, et même, si ça se peut, de te booker des soirées dans des bars, pour continuer de tester ton matériel, même si ton entrée en salle est déjà faite, pour roder, roder, et toujours plus roder, pour qu'idéalement, aucun soir de la semaine tu sois obligé d'être seul chez toi.

Et quand ça va arriver, en fait, tu vas en profiter pour aller voir les amis dans des shows, en te torchant bien comme il faut dès que tu entres dans la salle. Les semaines vont être une longue journée pénible que tu vas traverser soit soûl, soit en lendemain de brosse, mais toujours, toujours, en pensant à moi presque constamment, en te demandant où je peux être, ce que je peux faire, avec qui je peux être, si je suis pas avec toi. Tu m'écriras pas, tu m'appelleras pas, tu tenteras pas de me croiser non plus, mais j'aurai jamais été aussi présente dans ta vie. Toutes tes journées vont être vécues en pensant à moi, et seulement à moi.

Tu vas pas entretenir l'idée que je pourrais te revenir, pas tellement. Tu savais dans quoi tu t'embarquais. La rupture, même si t'aurais voulu qu'elle arrive pas, elle te surprendra pas : c'était perdu d'avance, tu savais que t'étais pas dans ma ligue.

Tu vas recommencer à fourrer juste parce que. Max Lap va te présenter à une de ses amies après être venu te voir en show, un soir. Elle va être belle, et amusante aussi, et très gentille, elle va s'appeler quelque chose comme Karine ou Évelyne ou Marine, dans ces eaux-là, et Max Lap va te chuchoter à l'oreille qu'elle vient juste de se faire domper, elle aussi, alors vous allez migrer naturellement l'un vers l'autre comme des trous noirs qui tentent d'aspirer le néant l'un de l'autre, et tu vas rentrer avec elle, et en baisant avec elle, de manière tellement maladroite parce que tu sauras plus comment on fait pour faire l'amour avec une nouvelle personne, tu vas lui dire *je comprends pas comment quelqu'un a pu te laisser.*

Je comprends pas comment quelqu'un a pu te laisser.

Même si elle va être complètement adorable, et que le sexe sera pas si mal, dans les circonstances, ça sera pas vrai : évidemment que tu vas comprendre comment on peut la laisser. Tu comprends comment n'importe qui peut laisser n'importe qui. Les gens ils font toujours ça, se laisser. Ce que tu vas être en train de lui dire, à cette pauvre fille là qui a rien demandé à personne, ça va être que tu comprends pas comment *moi* j'ai pu te laisser.

Et tu vas le savoir, au fond. Tu le sais depuis que t'es venu me parler, tantôt : depuis le début, t'as trop besoin de moi pour que cette histoire finisse bien.

Tu vas toujours faire le même cauchemar. Tu vas te réveiller seul sur une île. Le ciel va être orange, presque rouge, un genre de crépuscule, ou d'aube, presque artificiel, comme la pollution lumineuse d'une serre dans le lointain. Tu sauras pas pourquoi, mais tu vas être certain que t'es en retard, que tu dois absolument te rendre au quai, pour attraper le traversier. Tu vas arriver au traversier juste à temps pour voir le bateau partir, et tu vas réaliser que je suis sur le bateau, dos à toi, et je me retournerai pas quand tu vas crier mon nom.

Quand tu vas te réveiller, tu vas être soulagé de comprendre que c'était juste un rêve. Environ une ou deux secondes après, tu vas te rappeler que non, en fait. Que je t'ai laissé. Que t'es seul.

Ces deux secondes là de soulagement, au cours desquelles tu vas avoir l'impression d'avoir échappé au pire, ça va être les plus belles secondes de tes journées. Le reste du temps, tu vas être hanté par moi.

Tu vas prier pour que quelqu'un, quelque part, te confirme qu'un jour, tu vas arrêter de te réveiller comme ça.

Tu vas aller mieux, un jour. Je te le jure. Mais à ce moment-là, tu vas avoir oublié que je te l'ai dit.

Un truc qui va t'aider à relativiser, sans que ça t'aide réellement à aller mieux, ça sera de me traiter de pute. Ça va devenir un catchphrase. Vous serez en train de prendre un verre avant un show, ou en train de boire après un show, ou dans un party, ou dans une fin de party, et tu vas t'être ramolli, tu vas avoir oublié la règle, formulée par Sam, selon laquelle le mot « Laurie » devra avoir été éliminé ton vocabulaire. Par exemple :

— Je m'en vais en Islande l'été prochain.
— Ah, ouais, l'Islande c'est cool, Laurie était allée y a—
— Raph.

Et ça va te revenir. Tu vas être forcé, comme chaque fois que tu prononces mon nom, de te corriger :

— Laurie c'est une pute.

Tout le monde va répondre, monocorde, en chœur :

— Laurie c'est une pute.

Sam et Max Lap et Thomas ils vont être généreux de ce côté-là, ils vont faire des oui de la tête quand tu vas te mettre à monologuer sur moi, ils vont apporter de l'eau au moulin et comme ça tu vas finir par croire que t'es celui qui a raison parce que t'es celui qui souffre.

Tu sauras pas la vérité, parce que t'auras jamais vraiment essayé de voir mon côté de l'histoire. Une fois, Thomas va dire :

— Mais c'est peut-être pas nécessaire de partir une guerre avec Laurie non plus, t'sais.
— Qu'est-ce t'en fucking sais ? As-tu été avec, toi ?

Thomas trouvera rien à répondre. Il te reparlera plus de moi. Personne d'autre va essayer de me présenter comme autre chose que l'Antéchrist.

Mais la vérité, si tu t'y intéressais, tu découvrirais que c'est simplement que j'ai pas été mise sur cette terre pour te détruire. La vérité, c'est que je vais penser beaucoup moins à toi que toi à moi.

Ça serait pire, de savoir ça. Ça serait pire de savoir que tu mérites pas mon intérêt. Tu préférerais que je t'aime, mais à défaut, tu pourrais te contenter que je te déteste. Mais que je t'ignore, non. Pas un scénario acceptable.

Haïr, c'est une façon de garder quelqu'un près de soi.

Quand tu vas retourner faire un autre soir de rodage à Gatineau, Thomas va t'accompagner et te lâchera pas une seconde, de peur que tu meures subitement. La production va t'avoir booké un autre hôtel, plus laid, moins confortable, mais ça sera la seule option pour toi, parce que juste la vue de l'hôtel où tu vas avoir dormi la fois d'avant, ça va être suffisant pour te donner une tachycardie pendant une demi-heure.

Ça te fera ça, souvent, les lieux où on est déjà allés ensemble. Tu vas développer des routes alternatives, simplement pour oublier qu'ils existent. Pour oublier que moi j'existe.

Tu vas être en train de prendre un verre avec Max Lap après le show quand tu vas croiser par hasard la journaliste de Rad-Can qui t'avait interviewé. Audrey. Elle va finir par s'asseoir avec vous. Tu sauras pas si tu dois garder une distance professionnelle, mais elle va être relax, pas comme sur la job, beaucoup moins guindée. Elle va être cool. Elle va être drôle. Ça va être une bonne soirée. Elle va rentrer avec toi.

T'auras affaire à Ottawa et à Gatineau et en Abitibi quelques fois dans les semaines suivantes alors tu vas en profiter pour faire des arrêts là, parce que contrairement à beaucoup de filles, ça l'impressionnera pas tellement que tu t'appelles Raph Massi.

Tu vas bien l'aimer parce tu vas réaliser assez vite qu'elle est aussi triste que toi. Peut-être même plus. Ça va te réconforter de savoir que t'as pas atteint le fond du baril. Ça va te faire peur de réaliser que tu peux sombrer plus bas encore.

Elle va être en deuil de son père, mort récemment, mais elle va te dire que c'est pas vraiment ça, le problème, que c'est un état général depuis longtemps, qu'elle était déjà triste, avant, pour aucune raison particulière. Elle va ajouter :

— Mais je vis assez bien avec le fait d'être misérable, faque c'est pas la fin du monde.
— T'avais pas l'air misérable, la première fois que je t'ai rencontrée. Je trouvais que t'avais l'air lumineuse, en fait.
— Toi, sais-tu de quoi t'as l'air ?
— Quoi donc ?
— C'est difficile de croire que t'as assez de profondeur pour être triste.

Ça va te faire sourire :

— Je pense que je prends ça comme un compliment.

Vos soirées, ça va être surtout fumer des bats et boire de la bière et fourrer (oui, le sexe va être bon, si tu te le demandes, pas meilleur qu'avec moi, non, mais pas moins bon non plus, quelque chose de différent, mais de bien, de bon). Ça sera pas beaucoup mais ça sera ce qu'il te faut.

Une fois, vous aurez tout juste fini de baiser, vous serez en train de partager un joint, assis dans le lit, en écoutant de la musique. Tu vas lui demander :

— Tu vois quelqu'un on the reg, à part moi ?
— Pas sérieusement, non, elle va dire. Je regarde ma mère, depuis que mon père est mort, pis je me dis... fuck. Je peux pas dépendre d'une seule personne de même au point où ça me tue si je la perds.

Tu vas tirer fort sur ton joint, et tu vas expirer longuement en fixant le plafond. Une boule, dans ta gorge. Tu vas avoir peur de déglutir, peur qu'un micromouvement trahisse ta tristesse d'être complètement, totalement, irrémédiablement d'accord avec elle.

— Je te feel.

Tes lèvres vont se pincer. Très matter of fact, elle va dire :

— C'est mieux de même. C'est mieux si on reste tout seul pis qu'on se concentre sur nos amis. Mes amis au moins, ils sont fiables, eux autres. Pis je peux en avoir vingt à' fois.

Tu vas être capable de voir clair dans son jeu quand elle va être triste et quand elle va être en train de faire semblant que tout va bien alors que tout fout le camp. Mais cette fois-là, tu vas sentir rien de tout ça : ça va être comme si ça la libérait, de dire ça. Elle va être légère, en disant ça. Tu vas te demander si ça se pourrait que le reste de ta vie se passe comme ça, sans que tu le veuilles. Ça va te donner envie de t'enfoncer dans le sol et de te retirer du monde sans bruit.

En juillet, ta mère va t'appeler, un soir, pendant que tu vas être avec elle.

— Raphaël ?
— Ouais.

Dès tes premiers mots, Audrey va froncer les sourcils.

— Les affaires vont bien ?
— Les affaires vont, les affaires vont. Les affaires vont.

Tu vas voler le joint fumant dans les doigts d'Audrey.

— J'ai croisé Maryse, à l'épicerie, elle m'a dit qu'elle écoute toutes tes chroniques !
— Ah, ben tant mieux.

Tu vas tirer fort sur le joint. Expirer lentement, en ouvrant la bouche. Elle va continuer :

— Hey ! J'ai ben ri quand je t'ai vu au *Tricheur*, l'autre jour, aussi !
— Ouais, c'est toujours le fun ces affaires-là.
— Ça avance-tu bien, le rodage pour ton show ?
— Oh, ouais, ouais, ça avance bien.
— En tout cas j'ai ben hâte de voir ça !
— Ouais, moi avec.

Il va y avoir un silence, sur la ligne.

— Est-ce que tout va bien ?
— Mm-hm.
— Tu fais du sport, un peu ?
— M'man—
— C'est bon pour le moral, tu le sais ce que c'est.

Ta gorge va se nouer un peu. Ça sera à peu près le plus loin où vous serez capables d'aller, après que tu lui auras dit que je t'ai laissé. Il va y avoir un autre silence, puis une inspiration un peu tendue, avec une sorte de trémolo, avant que ta mère ajoute :

— Je voulais te dire que ta grand-mère était morte.

Tu sauras pas vraiment comment réagir de manière appropriée. Tu vas sentir le regard d'Audrey, plus interrogatif, sur toi. Tu vas te raccrocher aux faits :

— Quand ?
— Hier. AVC.
— Quelle heure ?
— En après-midi.
— Ça s'est passé comment ?
— C'est la voisine qui a appelé l'ambulance. Était couchée à terre, dans le jardin. La face à terre.

Tu sauras plus quoi demander de plus, comme information. Tu vas être content que ta mère ait attendu le lendemain avant de t'appeler. T'aurais pas pu dealer avec l'explosivité du moment.

— Le service va être en fin de semaine. À L'Ancienne-Lorette. Je sais que c'est vraiment compliqué pour toi avec le rodage…
— Ouais, c'est ça, je suis en show en fin de semaine…
— Pis je veux pas que tu te sentes coupable. J'imagine que ça se fait pas, annuler un show ?
— Non.

Un flash de toi, roulé en boule contre la porte de ta chambre d'hôtel, à Gatineau. La sensation d'une colonne de feu qui te traverse l'intérieur.

— C'est ça. Ta grand-mère aurait pas voulu que t'annules. Faque écoute, on pourra peut-être te faire un FaceTime de la réception au moins, que tu dises bonjour un peu aux autres.
— Ça serait parfait, ça.
— Je voudrais pas t'enlever à ton public.
— Mon public s'en remettrait, je pense.
— Non, je dis ça pour toi. Je suis contente, moi, de savoir que le monde t'aime, maintenant.

Un flash de toi, avec ton linge d'éducation physique sur le dos, les cheveux mouillés, avec une odeur rance qui te colle à la peau, assis dans le bureau de la directrice, la fois où tu t'étais fait vider le contenu d'un bac à moppe sur la tête, au milieu des cases, et que ta mère avait dû venir te chercher.

Ta mère va être contente que le monde ait fini par t'aimer.

— Oui, m'man.
— Faut que je te laisse. On se parle samedi, là !

Tu vas raccrocher. Audrey va te regarder, un peu plus soucieuse, avant de dire :

— C'était tellement weird, comme appel. C'est qui ?
— Ma mère. Ma grand-mère vient de mourir.

Elle va te serrer fort dans ses bras.

— Oh mon dieu, je suis tellement désolée. Je suis tellement désolée.
— Mais je sens rien.
— Rien ?

— Rien.
— Tu l'aimais pas ?
— Je l'aimais ben, mais... je veux dire, c'est pas sorti de nulle part. Était vieille. Ça arrive, au monde vieux, de mourir.

Elle va reculer pour t'observer, incertaine, l'air de croire que tu bullshittes.

— Quand mon père est mort, j'étais démolie. J'ai pas dormi pendant une semaine, j'ai pas mangé, j'arrivais pas à travailler. J'étais un fantôme.
— Ça m'a fait plus mal de me faire crisser là, je pense.

Elle va te regarder comme si t'étais un brigand en pleine invasion de domicile. Tu vas dire, sans émotion :

— Est-ce que je suis une mauvaise personne ?
— Est-ce que t'as toujours été comme ça ?
— Comment ?

Vous vous reverrez pas, après ça.

Après deux mois sans dormir, tu vas aller au sans rendez-vous pour demander des somnifères. La médecin va poser trop de questions.

— Votre consommation d'alcool, ça ressemble à quoi?
— Je sais pas. Entre trois pis cinq pintes par soir, genre?

Elle va prendre un air sérieux, laisser passer un moment, puis:

— Si je vous suggérais d'aller en désintoxication, vous me diriez quoi?
— Je suis humoriste, madame. Ça fait partie de ma job.

T'es jamais content d'aller à Québec. Tu le seras pas plus en revenant y présenter ton show.

Pourtant, le Grand Théâtre est une belle salle, belles installations, confortable, le staff est gentil. Et Daniel va te loger au Château Frontenac, et y a de bons endroits où manger tard le soir, après les shows. Ça sera pas ça. C'est que tu vas avoir l'impression de régresser d'une dizaine d'années en passant le pont Pierre-Laporte.

Quand t'as été accepté à l'École de l'humour et que t'es parti vivre à Montréal, y a quelques années, t'as eu l'impression de pouvoir te réinventer et de choisir comment te définir pour la première fois de ta vie. Quand tu reviens à Québec, tout ça prend le chemin des vidanges : tu finis toujours par croiser par hasard quelqu'un que tu connais. Et soudain tu redeviens le Raphaël de quatorze ans qui longe les murs et qui se fait cracher dessus et qui se fait traiter de tapette et sur qui on lance de la bouffe à la cafétéria parce que… parce que quoi, exactement ?

Tu détestes l'obsession de Sam pour les histoires de son secondaire parce que tu pourrais raconter aucune histoire de ton secondaire sur scène. C'est de l'envie, au fond. Même si tu sais que ta vie serait probablement pas mal moins intéressante si t'avais fait partie des cool kids : ta carrière est une vengeance.

Après tes shows, faudra toujours que tu prévoies une demi-heure, parfois même une heure, pour dire bonjour aux gens, prendre des selfies, regarder des adolescentes patiner pendant plusieurs secondes pour trouver quelque chose à te dire et se contenter de rougir en silence, te faire prendre une fesse par une spectatrice dans la quarantaine pendant que son mari prend une photo. Tu vas être bon là-dedans. Tu vas trouver des façons de faire parler les gens, de les faire se sentir importants. Même s'ils vont t'ennuyer en tant que personnes, tu vas savoir qu'il faut être bon avec eux.

C'est le plus important, dans ce métier-là. Toutes les relations deviennent compliquées : les collègues t'envient de manière malsaine, la famille comprend jamais vraiment, les amis s'éloignent, mais les fans, si t'es bon avec eux, ils sont bons avec toi. C'est pour ça qu'il faut leur donner ce qu'ils veulent, tout le temps. Même si ça te coûte. Même si ça te vide.

Il va y avoir une fille de ton âge qui va t'attendre pour te parler, dans le hall.

— Raph ! T'étais tellement bon !

Elle va être beaucoup plus familière avec toi que la moyenne des spectateurs.

— Ah, merci, merci ! C'est la première fois que tu me vois en show ?
— Ben, depuis que je t'ai vu en impro au secondaire, là !

Tu la replaceras pas. Elle va tout de suite le remarquer.

— Je sais pas si tu te souviens de moi ? Vicky ?

— Vicky… ?
— Chénier.

Ça va te revenir, vaguement. Tu vas te rappeler qu'elle sortait avec un joueur de hockey qui aimait beaucoup t'étamper dans le mur chaque fois qu'il te croisait dans le corridor.

— Ah ! Oui, Vicky, ben oui, je suis désolé !
— J'ai changé mes cheveux, c'est pour ça.

Ses cheveux vont avoir l'air de n'importe quels cheveux. Tu vas t'exclamer :

— Ah oui, c'est ça !
— En tout cas, c'est vraiment le fun de te voir aller, le show était super. Ça roule vraiment, tes affaires ! Je suis toujours contente quand je te vois à' tévé !

La foule va s'être dispersée, dans le foyer du théâtre : tu vas réaliser qu'il reste plus qu'elle, toi et un placier en train de fermer la place.

— Ouais, ouais, je suis ben chanceux, tu vas dire. Toi, tu fais quoi de bon ?
— Ah moi je suis hygiéniste dentaire, depuis trois ans. À Sainte-Foy.
— Cool, cool.
— C'est ben le fun.

Y aura une petite suspension. Elle va piétiner sur place, sachant pas trop où se mettre. Puis va te regarder dans les yeux :

— Avais-tu des plans après ?

— T'es célibataire, toi ?

Tu vas marmonner, encore en sueur, nu dans le lit, en la regardant se rhabiller, un « mm » affirmatif nonchalant. Tu vas avoir peur, si tu disais plus que ça, de trahir ta faiblesse, qu'une inflexion, une hésitation, un mot mal choisi hurle *oui, je suis célibataire, ça fait trois mois pis j'en suis pas remis, je braille, je braille presque tout le temps, j'y pense à chaque heure*, t'aurais peur qu'elle entende ça et que tu perdes ton ascendant sur elle.

En la regardant, dos à toi, agrafer sa brassière, tu vas réaliser que c'est vraiment une belle fille. Une très belle fille. Pas dans ta ligue. Elle va murmurer :

— Ouais, j'imagine que tu dois pas trop avoir de temps pour une blonde, avec ta carrière.
— Ouais. Exact.
— Toi ? J'imagine que si tu poses la question, tu dois pas être claire de ta sauce ?

Elle va se retourner vers toi et pousser un petit rire coquin, en remettant ses skinny jeans. À cheval entre le malaise et l'insouciance.

— Chut. Mais... oui. Je suis encore avec Jonathan.
— Jonathan ?
— Jonathan Théorêt, là, depuis secondaire quatre.
— Ah, ah. Jonathan Théorêt.

Jonathan Théorêt. Jonathan Théorêt, qui a renversé une toilette chimique dans laquelle t'étais, pendant une sortie scolaire. Le beau Jonathan Théorêt.

— Ouais. Mais, euh… Jo travaille sur des projets su'a Côte-Nord, là y'est sur la Romaine, faque… T'sais ce que c'est, y part longtemps.
— Mm.

Elle va s'approcher de la fenêtre pour regarder en bas. Ta chambre va donner sur la cour intérieur de l'hôtel.

— C'est beau, pareil, ici. Peux-tu croire que j'avais jamais dormi au Château Frontenac ?

T'auras pas de misère à le croire, non.

— Quand t'habites à Québec on dirait que c'est moins intéressant de se prendre une chambre d'hôtel à Québec.
— Ouais.
— Tu dors pas chez tes parents, quand tu viens en ville ?
— Bof, t'sais ce que c'est. Je finis tard, y'ont leur routine…

Elle va se pencher pour ramasser son t-shirt et l'enfiler. Elle va dire :

— C'était le fun d'avoir de tes nouvelles. Je resterais, mais— t'sais—
— Ouais.
— C'est cool de voir où t'es rendu. Je veux dire, c'était évident pour tout le monde que tu te rendrais loin, mais je suis vraiment contente pour toi.
— C'était évident pour tout le monde que je me rendrais loin ?
— Oh oui.

— Vous vous disiez ça ?
— Ben… oui.
— Ton chum aussi ?

Elle va se tendre un peu :

— Ben… oui, je pense ben, Jo est ben fan de ce que tu fais aussi.

Tu vas te redresser dans le lit, encore nu, la bite encore humide. Il va y avoir un quart de seconde où tu vas te dire que te fermer la gueule est une réelle possibilité, que t'as pas à intervenir, que tu peux laisser Vicky partir, qu'elle va pouvoir rentrer chez elle avec la satisfaction d'avoir fait un mauvais coup sans trop de conséquences.

Tu vas avoir eu la possibilité de pas foutre la marde. Mais à la place, tu vas choisir, en pleine possession de tes moyens, de la regarder dans les yeux et de dire, en plissant les yeux, en serrant les dents, et en fermant les poings :

— Jo, il se disait ça avant ou après m'avoir recouvert de marde ? Avant ou après m'avoir volé mon linge pendant que j'tais dans' douche ? Avant ou après m'avoir ligoté avec du duct tape pis laissé dans le lavabo de la salle de bain ?

Elle va échapper un rire nerveux, l'air de croire que tu niaises. Elle va prendre un moment, mal à l'aise, avant de dire :

— Je pense que t'exagères, Raph. Je veux dire, je suis désolée si y'est arrivé des affaires plates au secondaire,

je suis sincèrement désolée, mais des fois aussi on déforme ces souvenirs-là, t'sais ce que c'est.
— M'en câlice, Vicky. Tout le monde a des mauvaises anecdotes au secondaire. Je suis pas traumatisé de ça à vie. Mais viens donc pas me dire que le monde avait du respect pour moi, parce que je le sais que c'est faux. Tout le monde m'a traité comme une estie de crotte de nez pendant cinq ans. Pis c'est ben correct. Mais faites pas semblant que c'était pas ça juste parce que là, tout d'un coup, vous aimez ce que je fais pis que vous voulez vous péter les bretelles de m'avoir connu avant que je sois big.

Elle va poser sa main sur la poignée de la porte.

— Je vas y aller.
— Anyway, je m'en câlice. C'est ça l'avantage de pas avoir pogné au secondaire : Jonathan Théorêt, y'a pu me faire ben des affaires, mais y'a jamais réussi à fourrer une de mes blondes.

T'auras rarement entendu une porte claquer aussi fort. Tu vas te sentir bien, après. Ça durera pas plus qu'une minute, mais tu vas te sentir bien.

Claire va avoir mis en ligne une story avec son billet pour la première. Tu vas reconnaître, sur la photo, à côté d'elle, un genou couvert d'une robe-soleil que tu vas identifier comme étant la mienne, après m'avoir vue la porter sur une photo de mon road trip en Gaspésie sur Facebook deux semaines avant.

Claire, mon amie, la fille à qui je parlais tantôt, celle à cause de qui tu pensais que j'étais lesbienne.

Claire pourra pas avoir trouvé des billets autrement que par moi. Un plus un égale deux : je vais être dans la salle, même si je serai pas revenue travailler sur le show depuis notre rupture, cinq mois plus tôt.

T'es pas d'un naturel anxieux. Les anxieux, ils sont tournés vers le futur et c'est la somme de toutes les complications possibles qui les fait figer. Ton problème à toi, c'est le passé, pas le futur. T'en as déjà plein les bras à jouer en boucle toutes tes bourdes, la fois que tu t'es fait surprendre à te masturber dans les toilettes de l'école, la fois que t'as passé une demi-heure à bitcher sur le dernier show de Guillaume Wagner pour te rendre compte que sa gérante était autour de la table, la fois que tu t'es fait arrêter pour vol à l'étalage dans un Rossy, la fois que tu t'es pissé dessus en classe, la fois que t'as éternué sur Anne-Élisabeth Bossé aux Gémeaux, la fois que t'étais tellement soûl que t'es entré dans le mauvais appartement et que tu t'es réveillé dans le lit de ton voisin. Y a pas assez de temps dans une vie pour rejouer suffisamment en boucle ces moments où tu as été trop, et trop au mauvais moment, pour que tu t'en lasses. T'es masochiste. C'est pour ça que tu réussis aussi bien: les gens normaux ils font des albums photo avec leurs succès, alors que toi, tes souvenirs ils servent à te fouetter, à te détester toi-même toujours un peu plus. Ça te force à chercher de l'amour de toutes les façons possibles. Ta carrière finirait pas par décoller si tu t'aimais.

Mais le soir de ta première montréalaise, ça sera pas pareil. Parce que le pape en personne pourrait être dans la salle et t'en aurais rien à chier. Probablement que tu le prendrais à partie pour lui faire un roast. Tu lui ferais des jokes de pédophilie, sûrement: c'est usé à la corde, mais toujours efficace, les jokes de prêtres pédophiles. C'est pour ça que les gens cliquent par dizaines, centaines de milliers sur tes vidéos, et qu'ils payent pour venir te voir sur scène: t'as la grande gueule que la moyenne des ours ne peut pas se permettre, parce qu'on apprend très vite, dans la vie, que si on veut avancer, il faut se fermer la gueule et rentrer dans le rang. C'est pour ça que ta vie fait rêver: tu vends une idée de la liberté.

Le pape en personne pourrait être dans la salle et t'en aurais rien à chier, et d'ailleurs le pape en personne va être dans la salle, ce soir-là, sous d'autres formes: des diffuseurs sur qui tu vas compter pour t'organiser une tournée avec un maximum de dates, des critiques dont tu vas espérer qu'ils soient pas complètement cons et disent pas n'importe quoi, des gérants et des humoristes qui vont être venus pour te haïr et dont tu vas souhaiter qu'ils démolissent au maximum ton show en buvant du vin cheap gratuit après la représentation, ce qui serait signe qu'ils t'envient au point d'avoir peur de toi et de sentir le besoin de te chier dessus pour se sauver la face.

Ces gens-là vont être dans la salle et t'en auras rien à foutre, même si techniquement ils vont avoir droit de vie et de mort sur ton travail. Mais Claire va être là. Et, assise à côté de Claire, nécessairement, il y aura moi, et ça, ça sera pas possible.

Il va être sept heures trente-deux. La régisseuse va passer dans ta loge pour te donner ton standby trente avec deux minutes de retard et Thomas va se matérialiser juste derrière elle, avec son look de première : un pantalon semi-habillé, un t-shirt col en V et un veston.

— The man !

Tu vas rester écrasé sur ta chaise, les pieds sur le comptoir de ta loge, le miroir devant toi te renvoyant ton image : un cadavre avec un beau hâle, parce que tu vas avoir pris la peine de te mettre juste ce qu'il faut de fond de teint pour avoir l'air vivant. T'auras pas l'énergie de te lever. Tu vas juste tourner un peu la tête vers Thomas. En faire plus serait un trop grand effort. Thomas va venir derrière toi et te masser les épaules avec vigueur :

— Prêt à kicker des culs ?

Ta voix va être monocorde et étouffée :

— J'imagine que l'équipe me laisserait pas monter sur scène si j'étais pas assez rodé, faque…

— Ben non, évidemment.
— À moins que ça soit trop de trouble de réorganiser le calendrier de tournée pis que tout le monde se soit juste dit *fuck off, on va y aller de même pis ça donnera ce que ça donnera.*
— Ben non, voyons.
— Je sais. Je niaisais.
— Moi je te le dis. Ce show-là, ça marche. Daniel est *vraiment* excité.

Thomas, il te dit toujours que t'es bon, il va toujours te dire que t'es bon. C'est plaisant, mais à la longue, tu pourras plus vraiment te fier à son sens critique. Tu pourrais chier un tas sur scène qu'il trouverait le moyen de te dire que c'est du jamais vu. Déformation professionnelle : un ouragan catégorie cinq pourrait se poser à Montréal que chaque gérant de la ville assurerait à ses clients que c'est formidable, que tout va bien, vraiment, qu'il est vraiment optimiste pour la suite des choses et qu'il a vu ta performance d'hier et que t'étais super, vraiment, à ton meilleur, mais qu'il te rappelle parce qu'il a une autre ligne.

— Tu dois être excité, Thomas va dire.
— Ouais.

C'est pas que tu vas vouloir le mettre mal à l'aise, mais faire un effort pour avoir l'air heureux d'être là, ça va être trop exigeant. Tout ce que tu vas voir, quand tu vas fermer les yeux, c'est un théâtre vide, avec moi assise au milieu, dans l'œil du prince, qui te regarde, les bras croisés, prête à te mépriser.

— C’est tout un accomplissement, pareil. C’est un turning point, man. À partir de demain matin, les affaires seront pus pareilles.
— C’est pas vrai que ça marche de même, voyons.
— Ben, t’sais, non, pis en même temps, oui. T’as vu, t’es déjà sold-out jusqu’à Noël.
— J’ai vu, j’ai vu.
— Je te le dis, man. C’est un bon show. Le monde va aimer ça. Le monde aime déjà ça.

Le manque d’intelligence de Thomas est une qualité, souvent: son incapacité à avoir une vue d’ensemble, à saisir toutes les subtilités d’une situation lui permet d’être, ou d’apparaître, en tout cas, toujours convaincu à 100 %, toujours inébranlable dans son optimisme niais.

— Le show se joue pratiquement tout seul. Là, toute ce que t’as à faire, à soir, c’est de monter sur scène, pis de go get it. As-tu besoin de quequ’ chose? De l’eau, une bière, des clopes?

Tu vas pointer ta bière entamée, entre tes jambes.

— Tout va bien côté drink. Mais…
— Hm?
— Sais-tu ce qui m’aiderait, en ce moment?
— Quoi?
— Un gun.

Il va avoir son sourire niais, neutre, qu’il va réserver pour les moments où il comprendra pas une blague, mais où il va tenter de le cacher.

Ça sera peut-être pas tant une blague, au fond.

Puis quelque chose comme un déclic va opérer en lui. Il va tirer la chaise à côté de toi. La tourner pour s'asseoir face à toi. Il va prendre un ton plus grave.

— Je sais que c'est une grosse soirée, pour toi.

Tu vas lui accorder la faveur de tourner les yeux vers lui. Ça va te demander un effort tel que t'auras l'impression d'avoir couru un demi-marathon, après.

— Mais je sais que tu vas rocker ça. C'est tout ce que tu sais faire, mon gars. Le monde t'aime en deux secondes.

Sauf toi. Et sauf moi. Tu vas t'en vouloir d'avoir immédiatement pensé à moi quand Thomas va avoir prononcé le mot « aime », mais tu sauras rien faire d'autre.

— C'est quand même dommage, parce que moi j'haïs le monde.
— Pas besoin de les aimer, tant que tu leur donnes ce qu'ils veulent.
— Je sais pas si je vais être capable.

Le sourire de Thomas va rester le même, mais une panique qu'il arrivera pas à cacher va s'installer dans son œil. Il va murmurer, à cheval entre la peur et la furie :

— De ?
— Est-ce qu'on pourrait retirer les gags de Laurie du show ?
— Quoi ? Mais— voyons, tu te rappelles exactement qui a écrit quoi ?
— C'est mon show, Thomas. *Mon* show. À moi. Le mien !
— Ben ça non, Raph, c'est le show à Daniel, c'est lui qui paye pour faque—

— Le show est en constante évolution, on coupe pis on réécrit, ça fait juste partie du processus—
— On pourra en parler demain, mais là, à soir, fais ça comme tu le fais depuis des mois. On va pas changer une formule gagnante à une demi-heure de la première. Toute façon cette conversation-là c'est avec Daniel, ou ben Sylvain, qu'il faudrait l'avoir, pas avec moi.

Thomas va avoir raison. Évidemment qu'il va avoir raison : le show, on l'aura pas écrit gag par gag. Il va avoir émergé quelque part entre nos deux cerveaux, au bord du lac, en une semaine, quelques jours où on aura été connectés comme jamais t'as pu être connecté avec quelqu'un.

Tu vas être conscient que la demande est ridicule et puérile. Mais tu sauras rien faire d'autre. Pour bien faire, il faudrait jeter l'édifice à terre et rebâtir autre chose. Peut-être même rebâtir sur un autre terrain. Dans un autre pays. Loin.

— C'est pas une formule gagnante si ça me donne le goût de me gunner quand vient le temps de monter sur scène.
— Pis c'est là que t'en parles ?

Il va se lever, passer sa main dans ses cheveux figés par la pommade. Ouvrir le petit frigo, sous le comptoir. Prendre une cannette de Perrier qu'il va caler d'un coup. Se retourner vers toi. Il va ouvrir la bouche pour parler, s'interrompre avant d'émettre un son. Inspirer lentement. Puis :

— Raph. Je t'en *supplie*. Sabote-toi pas. Ça allait ben, là. J'avais l'impression qu'on l'avait enterrée, l'estie de pâte molle qui se pogne le cul. Je sais pas ce qui est en train de te prendre en ce moment, mais peu importe ce que c'est, c'est pas une bonne idée.

— C'est la même affaire que depuis cinq mois, man.

— Quoi, depuis cinq mois— *Laurie*?

Tu vas hausser les épaules. Répondre clairement te demanderait une énergie trop grande. Tu vas avoir l'impression de ressentir mille fois plus de gravité, d'être dans les abysses, avec le poids de l'océan qui te pèse dessus et qui ralentit tous tes mouvements, qui écrase tout ton squelette. Thomas va continuer :

— Il faut que tu get ton shit together, mon gars.
— Je sais.
— C'est pas normal.
— Je sais.
— Tout le monde se fait crisser là.
— Je sais.
— Va falloir que ça arrête.
— Si t'as une solution, je suis prêt à t'écouter.

Il va tourner plusieurs fois sur lui-même, comme un chien qui cherche sa queue, en regardant le sol et en se frottant le visage. Il va lancer sa cannette vide de Perrier à bout de bras.

— Tabarnak !

La régisseuse, qui va être apparue dans le cadre de porte de la loge, va figer sur place avant de dire :

— Ça serait un standby vingt.

Tu vas tourner la tête vers elle et lui offrir un beau sourire :

— Standby vingt, merci, Kelly.

Thomas va la regarder partir quelques secondes puis va fermer la porte de la loge. Il va rouvrir le frigo, se prendre une Stella Artois, l'ouvrir avec le coin de son téléphone, lancer le bouchon par terre.

— Faque c'est quoi, là ? Tu veux que j'aille sur scène pis que j'annonce que le soir de la première montréalaise de son premier one-man show, Raph Massi nous chie dans' pelle, pis que tout le monde peut rentrer chez eux ?
— C'est même pas ça.

Tes yeux vont se fermer d'eux-mêmes. Tu vas poursuivre :

— En ce moment, je cherche juste l'énergie pour être capable de me lever de c'te chaise-là.
— As-tu pris de quoi ?
— C'est ma deuxième bière, comme d'hab.
— As-tu besoin de quoi ? Es-tu en sevrage de quequ' chose ?
— J'ai de la poudre si j'en veux, j'ai tout ce qu'y me faut.
— Ben c'est quoi, tabarnak ? C'est pas vrai, estie, que ta blonde qui t'a crissé là y a cinq fucking mois est en train de t'empêcher de monter sur scène à soir !
— Est dans' salle.
— Okay. Est dans' salle. Y a deux mille personnes dans' salle, Raph. Tu la verras pas. Ça m'étonnerait qu'a soit rangée A. Pis si tu veux je peux aller regarder tout de suite le plan de salle pour être sûr que—
— C'est pas ça.
— C'est. Quoi. Estie !

Il va être rendu haletant. Rouge. Avec de la sueur qui va perler sur son visage.

— Ça va être pire si tu y demandes de partir parce que si tu fais ça, ça veut dire qu'a gagne. A va savoir qu'a me joue dans' tête.
— On peut-tu reculer deux minutes ?

Tu vas hausser les épaules, encore.

— Quand est-ce qu'a t'a dit qu'a venait ?
— J'ai vu sur Instagram que Claire était là.
— Claire. C'est qui ça Claire ?
— Son amie.
— Pis a'l a dit qu'a venait avec Laurie ?
— Laurie est sur sa story.
— Écoute, là. Je sais pas comment te dire ça, mais… Comment ça, estie, que t'as pas compris avant ce soir que Laurie allait être là ? Évidemment qu'elle allait être là, estie de raisin, elle a écrit le show avec toi !
— J'avais d'autres chats à fouetter pis j'ai juste pas… j'ai juste pas compute. C'est là que ça me frappe.
— Tu te rends-tu compte de ce que tu mets en jeu ?
— Thomas. Je suis juste… gelé. Je suis capable de rien faire.
— Je peux aller le chercher, le gun que tu m'as demandé. Tu pourras juste te tirer dans le pied avec pis ça va faire pareil.

Tu trouveras pas quoi répondre. Thomas va continuer :

— On dirait que ça te fait rien, l'idée de foutre toute ta carrière en l'air.
— Je sais que c'est grave, man.

T'auras jamais eu aussi peu de conviction de toute ta vie.

La porte va s'ouvrir. Ça va être Daniel. Clean-cut. Un bouton ouvert de trop en haut de sa chemise, qui va révéler une touffe de poil poivre et sel. Il va avoir les joues et le nez rouges. Le souffle court. L'air très jovial. Un peu cocktail.

— Comment est-ce qu'y va ?

Thomas va geler en voyant Daniel. Il va se redresser, prendre une gorgée de sa bière.

— Top shape, Thomas va dire. J'allais le laisser se concentrer, là.

Le regard de Daniel va alterner entre toi et Thomas. Il va hocher la tête et dire sèchement :

— Qu'est-ce qui se passe ?
— Rien, Thomas va dire. C'est… c'est sous contrôle.

La joie de vivre niaise de Daniel va mourir d'un coup. Ses traits vont se durcir :

— Y a rien pis c'est sous contrôle. Ça tient deboutte.

Tu vas tourner le regard vers lui. Ta mâchoire va peser deux tonnes :

— Je suis pus sûr.
— T'es pus sûr, Daniel va dire.

Tu vas faire un oui de la tête, atone. Daniel va répéter :

— T'es pus sûr, Raphaël. T'hésites.

Les narines qui vont se dilater, comme un bœuf. Une longue expiration par le nez.

— Est-ce qu'on a une raison ?

Thomas va venir appuyer ses fesses contre le comptoir en regardant le mur au fond de la loge :

— C'est Laurie.
— La scripteuse ?
— Ouais. Son ex.
— Qu'est-ce qu'elle a ?
— A serait dans' salle, apparemment.

Daniel va tourner les yeux vers toi, à mi-chemin entre l'incompréhension et le profond mépris.

— Là je suis désolé de ramener ça au cash, mais va falloir que tu comprennes que tes actions ont des conséquences, mon gars. Des conséquences graves. Si tu montes pas sur scène à soir, tu vas te faire buttfucker. Par moi pis par toute le milieu.
— Okay.
— Le genre de buttfuck que tu t'en sors à peu près juste avec une faillite. On est au St-Denis, Raph. Ta tournée est censée rembourser ce que ça te coûte de remplir ça gratis. Pis si tu montes pas sur scène à soir, tu peux être certain que la hache va passer dans ta tournée en *estie*. En estie !
— Y a du monde qui mettent des tournées on hold parce qu'y sont malades, ou ben brûlés.
— T'es pas malade pis t'es pas brûlé. T'es un estie d'adolescent qui a besoin d'attention. Pis moi je suis ton producteur, pas ta mère, même si je le sais que ça se ressemble pas mal,

des fois. Fait que tu vas t'accrocher un sourire dans' face, tu vas monter sur scène, tu vas faire semblant que t'aimes la vie pis tu vas aller faire des jokes parce qu'y a ben du monde qui file encore pire que toi dans' salle pis ta job c'est justement de les aider à se sentir un peu moins comme de la marde pendant deux heures.

— C'est vraiment, vraiment pas possible, de juste… suspendre ?

— Fallait choker avant d'entrer dans le ring, champion. Crisse, si ta mère était morte, si tu t'étais fait passer dessus par un char, ça me ferait plaisir d'envoyer un communiqué touchant, mais ton petit breakup, reviens-en ! Le *nombre* de gars, man, qui vendraient leur mère pour être à ta place.

— Ben qu'y la vendent, leur mère.

— Tu pourrais fourrer une fille différente à chaque soir. Pis c'est clairement pas parce que t'es beau parce que je connais mille gars plus sexy que toi qui ont pas une file de prétendantes à moitié aussi longue que la tienne. Tu pourrais fourrer une fille différente à chaque soir, pis tu me fais une scène parce que ton ex no-name, pas si belle que ça, dont on se câlice, est dans la salle à soir ? Grow up !

Tu vas te redresser, mais tu vas avoir perdu tout ton tonus. Tu vas juste pouvoir écraser ton visage sur tes bras, appuyés sur le comptoir. Tu vas marmonner :

— Je suis désolé, man. T'as misé sur le mauvais cheval. Je suis tellement désolé.

— Oublie-moi deux secondes. Ça va. T'es pas mon seul artiste. Je vais être capable de payer mes factures. Moi, ça va. Mais essaye juste d'être conscient deux minutes que t'aurais dû penser que le jour où t'as décidé de devenir humoriste, t'es devenu une PME. Pis tes décisions t'affectent plus juste toi. Moi, comme je te dis, ça va, je vais survivre, je vais éponger mes pertes. Mais ton gérant, lui.

Thomas va forcer un sourire, très tendu :

— Oui ?

Il va se passer la main nerveusement dans le visage sans arrêt en fixant le sol devant lui et en remuant la tête. Il va avoir l'air de commencer un début de Parkinson.

— C'est lui qui va être pogné pour gérer ça. Bonne chance pour te trouver un prochain producteur, mon gars, tu vas pédaler fort en estie. Pis les théâtres ! Les théâtres qui te bookent, ils comptent sur des salles remplies par des humoristes pour acheter leurs estie de shows de danse contemporaine plates qu'y programment à perte. Tu vas les mettre dans' marde. Ta série télé qui est en dev, si tu continues de même pis que la prod est annulée, c'est cinquante personnes qui perdent leur job. Incluant le petit assistant de prod qui fait quinze piasses de l'heure en espérant travailler dans le showbiz pis qui te trouve *tellement* nice pis qui trouve que t'es *tellement* humain pis *tellement* simple même si tu fais cinq fois son salaire annuel. Toute ce monde-là, ça va manger un coup de pelle dans' face parce que t'es un estifi de bébé gâté qui a tellement besoin d'attention qu'il peut pas tolérer qu'une fille, une fois dans sa vie, soit pas à genoux devant lui à l'implorer d'y laisser lui sucer le batte.

Son visage va être rouge vif. Le comptoir va être couvert de ses postillons. Il va te regarder, immobile, haletant, l'air prêt à attaquer.

On va cogner à la porte. Tu vas te redresser, passer ta main sur ton linge pour avoir l'air frais. Jeter un coup d'œil au miroir pour voir de quoi t'as l'air. Il va te confirmer que t'es un bullshitteur professionnel et que, même dans les pires circonstances, tu vas être capable d'avoir l'air absolument, totalement, complètement normal, prêt à sauter sur scène et à déconner devant deux mille personnes pour leur plus grand plaisir.

— Oui ?

La porte va s'ouvrir très lentement, poussée par la régisseuse, qui va fixer Thomas et Daniel avec un regard de biche sur le point de se faire dévorer.

— On serait… on serait standby dix.
— Standby dix, merci, tu vas dire le plus jovialement du monde.

Thomas va prendre une longue inspiration, va expirer lentement, par la bouche, les yeux fermés. Va rouvrir ses yeux et les planter dans les tiens.

— Je sais que c'est tough d'avoir perdu ta blonde, Raph. Mais fous donc pas en l'air ce qui te reste.

Thomas, tu vas réaliser, est beaucoup plus convaincant quand il parle business.

Tu vas monter sur scène, évidemment que tu vas monter sur scène. Thomas va avoir raison: travailler, ça sera tout ce qu'il va te rester, alors va falloir t'y jeter tête première.

C'est incroyable, ce que ça peut faire, l'énergie d'une foule. Quand la régisseuse va t'avoir donné ton standby cinq, que tu vas t'être levé pour aller attendre en coulisse, que tu vas avoir écouté Max Lap finir sa première partie, que tu vas avoir entendu deux mille personnes rire, mais surtout, être silencieuses ensemble, le feu va se réveiller en toi: un courant électrique qui va te traverser le corps, ton ouïe qui va s'aiguiser, ta vision périphérique qui va s'estomper pour se concentrer en tunnel. Une réponse venue du cerveau reptilien, comme si t'étais poursuivi par un grizzly. Une sensation de mort imminente.

T'auras jamais envie de mourir, avant de monter sur scène: on se sent jamais aussi vivant que quand on sent que la mort est à ses trousses. Et même si ça suffira pas pour te remettre de moi, la capacité de faire rire, ou de choquer, ou de surprendre, ou de te faire aimer par deux mille personnes en même temps, ça sera un prix de consolation acceptable pour toi.

Quand les critiques vont sortir, le lendemain, la réponse va aller de très bonne à dithyrambique. On va saluer ton aisance sur scène, ta bonhomie, ta légèreté, ton imprévisibilité, ton caractère excessif.

Deux critiques vont mentionner l'intelligence de ton écriture. Tu vas les mépriser.

— Tout le monde change de scripteur, ça arrive tout le temps ces affaires-là. Le succès de ton show dépendait pas de Laurie, Thomas va dire.

Mais t'auras pas eu de réel succès, avant moi. Alors tu vas avoir beaucoup de mal à le croire.

Thomas te reparlera pas de ta crise dans les loges, mais son comportement va avoir changé un peu : il va devenir encore plus préoccupé par toi, va être encore plus aux petits soins en tout. Les gens sont plus gentils quand on leur fait comprendre qu'ils sont sur un siège éjectable.

Il est passé minuit quand Thomas entre.

Il serre la main de tout le monde sur son chemin, très professionnel, en les regardant dans les yeux : Thomas traite tout party comme un cinq à sept de réseautage. Il te fait un signe de la main et se rapproche de nous : à ma demande, on a rejoint Claire sur le dancefloor. T'aurais jamais accepté de venir danser, normalement, mais vu que l'idée venait de moi, t'as pas osé t'opposer : déjà ce soir, tu me donnes le gros bout du bâton.

Thomas s'insère dans la foule humide, te met une main sur l'épaule, puis la frotte contre son pantalon, un peu dégoûté, quand il réalise que ton t-shirt est trempé de sueur. Il gueule, très fort pour enterrer la musique :

— Salut mon gars !
— T'arrives tard !
— J'avais un souper avec des amis de Sophie !
— Ah ! Cool, cool !

Je fais la bise à Thomas.

— Salut Thomas !
— On se connaît ?
— Je travaille chez Forand !
— Ah ! Ah oui, ah oui !

Il se tourne vers Claire :

— Toi aussi ?
— Non, moi je suis une infirmière en sabbatique !
— Ah ! Qu'est-ce tu fais ici ?
— C'est interdit aux civils, votre affaire ?
— Non, non, c'est pas ça que je voulais dire—
— Je niaise !

Claire lève sa bière dans les airs et danse en tournant sur elle-même. Thomas rit comme un idiot pendant quelques secondes, sachant pas comment réagir, puis :

— Ç'a bien été à soir ?
— Ben correct, je pense.
— Mais là tes numéros commencent à être rodés, faudrait que tu sortes du nouveau stock !
— Je suis là-dessus en ce moment même !
— T'as l'air, ouais.

Il regarde autour de lui en tentant de masquer son inconfort. Thomas aime les endroits ventilés, propres, les places assignées, les sections bien délimitées. Un party de maison dans un appartement un peu crade, c'est moins sa vibe. Il dit :

— As-tu de la bière ? Je suis arrivé les mains vides.
— Y doit m'en rester une sur le balcon.

Max Lap, juste derrière nous sur le dancefloor de fortune, s'incruste dans le cercle en donnant un coup de fesses à Thomas. Thomas sursaute violemment.

— Tabarnak, Max !
— Okay, t'es vraiment dû pour une bière, toi !

Les gars partent ensemble vers la cuisine. Claire se volatilise dans la foule. Une bulle se referme sur nous. Je dis :

— Y'est cool, ton gérant ?

Tu hausses les épaules :

— Ouais, je veux dire... Y'est cool comme personne, c'est sûr qu'y apprend su'l tas, là. Mais ça va, je pense. C'est sûr que c'est pas Forand.
— Mais veux-tu vraiment que ça soit Forand ?
— Ben je sais pas, m'semble que tout le monde chez Forand roule à fond !
— Ouais. Ouais.

Je roule les yeux. Tu fronces les sourcils :

— Quoi ?
— Ben... c'est vrai que Forand est très dévoué pour ses artistes. Avec tout ce que ça a de bon pis de mauvais.
— Genre ?

Je dirais pas ça en temps normal, probablement pas. Mais j'ai bu. Et je te fais confiance. Et on est bien, tous les deux, très intimes, très près l'un de l'autre, dans une foule compacte. Alors je dis :

— En tout cas, si t'es un trou de cul, tu peux être sûr que Forand va s'arranger pour pas que ça t'explose dans' face.
— Comment ?

Je prends une grande gorgée de ma bouteille de vin. Pas capable de te regarder dans les yeux.

— Si tu savais le nombre de fois que j'ai dû poster du cash à des filles fâchées contre des artistes, là…
— Pour vrai ? Qui ?
— Je suis pas payée assez cher pour savoir ça. Pis c'est ben mieux de même. Moi, je me fais juste donner une adresse pis faut que j'envoie un mandat-poste.

Ton regard va dévier vers la fenêtre de la cuisine. Sam va être en train de jaser avec la même fille que plus tôt, sur le balcon. Je vais continuer :

— I guess que si c'est juste l'adjointe qui fait ça, c'est comme si c'était pas vraiment arrivé.

Tu vas attendre en vain le jour où tu vas te lever sans penser à moi.

Tu vas avoir abandonné le calendrier grégorien pour adopter un calendrier commençant le jour de notre rupture : au dix-septième de chaque mois, tu vas te rappeler que ça fait un mois, deux mois, trois mois, quatre mois, cinq mois, jour pour jour, que je t'ai laissé. Tu vas avoir fait preuve d'une discipline exemplaire : tu m'auras pas écrit, appelée ni contactée de quelque façon une seule fois.

Tu vas m'avoir gardée sur Facebook, un certain temps. Mais voir des photos de moi heureuse en voyage, voir des photos de moi heureuse, voir des photos de moi tout court va finir par te faire trop mal. Tu vas conclure que c'est mieux de me retirer de ta liste d'amis. Mais encore là, des fois, même sans être mon ami, tu vas me voir commenter, ou liker, une publication, et la simple vue de mon nom va avoir le pouvoir de ruiner ta journée : ça sera une porte ouverte sur mon monde. Comme une brèche qui s'ouvre dans un barrage et qui finit par faire s'effondrer tout l'édifice : en lisant le commentaire, tu vas voir le téléphone sur lequel je le tape, tu vas voir mes doigts, mes mains, ma personne entière, le sofa sur lequel je suis assis, le salon, l'appartement, la personne qui couche avec moi dans cet appartement, les endroits où je sors avec lui, et ça va être assez pour ruiner une journée entière. La seule solution que tu vas trouver, ce sera de me bloquer : pour survivre, faudra simplement faire comme si j'avais jamais existé.

Mais quelques semaines après la première de ton show, tu vas avoir un accès de faiblesse. Tu vas m'écrire un courriel pour me demander si je veux aller prendre un verre, comme tu vas m'avoir bloquée sur toutes les autres plateformes. On va se retrouver au bar en bas de chez toi.

Ça va t'écœurer de réaliser que je suis toujours aussi belle, en me voyant entrer dans le bar.

— Désolée pour le retard, je vais dire en m'assoyant.
— Ça va.

Tu vas avoir voulu, en m'invitant, jouer ça cool, faire le gars qui s'en crisse, et tu vas réaliser qu'en fait, tu vas être rien de ça. De me voir à un mètre de distance comme ça, ça va te scier en deux.

— Tu vas bien ?
— J'ai le goût de me pendre pis je suis sur les antidépresseurs.

La serveuse va arriver pour prendre notre commande sur la fin de ta phrase. Elle va t'avoir reconnu, et elle va aussi avoir entendu ta phrase, et ça va la mettre clairement mal à l'aise.

— Savez-vous ce que vous voulez ?
— Un Perrier pour moi, je vais dire.
— Une pinte de blonde pour moi, tu vas dire.

La serveuse va aller se cacher derrière le bar pour papoter avec sa collègue en te pointant. T'auras pas encore réalisé que te comporter en tas de marde en public, ça sera un luxe que tu pourras plus te permettre. Je vais dire :

— Les gens te reconnaissent pas mal, maintenant, on dirait.
— Ouais.
— Tu devrais faire attention à ce que tu dis.
— Okay. Faque tout va bien, Laurie. Tout va fucking bien dans le meilleur des mondes.

Je vais soupirer. Tu vas déduire que je vais être en train de regretter d'avoir accepté l'invitation. Je vais être bien, j'aurai pas eu tellement mal, après notre rupture, du moins que tu saches, donc ça m'aura pas vraiment traversé l'esprit de prendre de tes nouvelles, directement ou indirectement. Si ça s'était rendu à moi que t'étais devenu cinglé, probablement que je me serais épargné le malaise en refusant l'invitation, mais tu vas m'avoir piégée, pis je vais être obligée de t'écouter, d'autant plus que tu vas avoir joué la carte de la maladie mentale et que ça me ferait passer pour un monstre de te quitter juste après que tu te seras exposé comme ça.

Je vais dire, plus compatissante :

— Je disais pas ça pour que tu fasses semblant. Je disais juste que y a… un lieu pis un temps pour chaque affaire.
— On va pas se voir en dehors d'un cadre public, faque je vois pas où je pourrais te dire ça.
— C'est pour ça que tu voulais me voir ?
— Non. Mais j'avais envie de te le dire.

— Pour ce que ça vaut, je pense pas que tu devrais faire ça.
— Me tuer ?
— Ouais.
— Merci de la proposition, je vais y penser.

Y aura rien de simple. Tu vas envoyer chacune de tes lignes comme un dard. Tu vas te rendre compte que la date Tinder, à côté de nous, va avoir beaucoup de fun à nous observer, nous écouter, et commenter notre discussion. On peut pas les blâmer : c'est un excellent sujet de conversation pour briser la glace, l'ex-couple lourd qui tente une mise au point. Surtout quand le gars est Raph Massi, l'humoriste de la relève que tout le monde aime. Tu vas tourner la tête vers eux :

— Vous pouvez ben rire autant que vous voulez, les chums, mais dans deux-trois ans, vous allez être à' même place que nous, pis là vous allez la trouver pas mal moins drôle. Faque pouvez-vous juste vous la fermer pis regarder ailleurs ?

Je vais soupirer, mal à l'aise. Je vais offrir un regard désolé au gars et à la fille, qui vont rouler les yeux et se tourner pour nous faire dos, juste un petit peu. Je vais dire :

— Je pensais que tu voulais me voir pour parler de job.
— T'as vu le show ?
— Oui. T'étais super bon.

Tu vas être à peine capable de souffler un « merci ». Plus que ça et tu te mettrais à pleurer.

— La mise en scène était bonne, aussi.

— Okay.

Il va y avoir un temps. Je vais perdre patience, mais je vais essayer de te le faire sentir le plus doucement possible:

— Faque c'est quoi, Raph? Qu'est-ce que tu voulais?

L'intérieur de ton nez va te picoter: des larmes, tout près.

— J'essaye juste de comprendre.
— Je te l'ai dit.
— Je comprends toujours pas. Qu'est-ce qui— Pourquoi t'as— On dirait que je comprends pas. La raison pourquoi t'as fait ça, je comprends pas, Laurie.
— Je te l'ai dit, Raph. J'ai juste… arrêté de t'aimer.
— Mais pourquoi?
— Toutes les affaires ont pas une raison, t'sais.
— Mais ça. Y avait une raison, non?
— Non.
— Ça a juste arrêté.
— Ouais.
— Juste… arrêté.
— Ouais.

Tu vas te pencher vers l'avant. Tu vas te frotter les mains. Tu vas avoir l'air d'un psychopathe.

T'auras toujours été un psychopathe.

— J'ai une autre théorie, tu vas dire.

La serveuse va déposer la bière et le Perrier devant nous. Ta première gorgée va faire le tiers de ta pinte.

— Tu m'envies, Laurie.

— Tu penses ça ? Pour vrai ?
— Tu m'as laissé parce que tu m'envies. Tu voudrais être moi. T'as voulu être humoriste pis ça a pas marché, faque tu t'es rabattue sur l'idée d'écrire. Pis après, tu m'as vu sur scène, ça t'a rendue envieuse, pis tu m'as laissé.
— Non, Raph.
— Non ?
— Je veux dire... Je peux pas t'offrir d'argument, parce que c'est pas comme si ça s'expliquait, ces affaires-là. Mais... tout ce que je peux te dire, c'est que c'est pas ça. Je t'aimais juste pus. Y a pas de conspiration contre toi. Y a pas de grande faille qui expliquerait tout. Y a juste une chose, Raph, pis je te l'ai dite : j'ai l'impression de t'avoir tiré vers le haut pendant deux ans. Pis à la fin, j'en pouvais juste pus.

À court d'arguments, tu vas finir ta bière en silence. Je vais m'inventer une excuse pour disparaître. Tu vas pleurer pendant toute la durée de ta pinte suivante, et de l'autre. À la fin de la soirée, t'auras pas à régler ta facture. La serveuse va dire, en ramassant ton dernier verre :

— T'as l'air d'avoir eu une grosse soirée. C'est sur le bras. Maintenant, va te coucher, je pense que ça va te faire du bien.

La vie, c'est une série de rendez-vous manqués : quand t'es pauvre et pas connu, personne t'offre de trucs gratuits. Quand t'es rendu au stade de t'en faire offrir, tout ce que tu veux, c'est la paix, et ça, on te la refuse.

Tu vas être sold-out jusqu'à l'été suivant. Tu vas avoir rapidement remboursé les frais de production de Daniel, et là, l'argent va commencer à rentrer pour vrai. Tu vas en profiter pour te payer un condo neuf dans Griffintown et un voyage en Thaïlande (seulement deux semaines, tu pourras pas te permettre plus que ça, Thomas va avoir trop booké ton agenda) en pensant que ça te ferait du bien, mais finalement tu vas réaliser que d'arrêter de travailler, c'est encore mauvais pour toi : ça te permet de penser. Et quand tu vas avoir le temps de penser, inévitablement, tu vas penser à moi. Alors à peine six mois après le début de la tournée de ton premier show, tu vas te lancer dans l'écriture du deuxième.

Ou tu vas essayer. Parce que sans moi, ça sera pas pareil. Tu vas travailler tellement fort, pourtant. Tu vas louer un chalet sur le même lac que le chalet de ma tante, à Eastman. Tu vas prendre du Ritalin à tous les jours pendant une semaine. Tu vas t'attabler devant ton laptop dès sept heures le matin, prêt à écrire nonstop, mais il se passera rien. La magie opérera pas.

À la fin de tes deux semaines de location, tu vas avoir pondu un numéro, un seul, et un très mauvais en plus, sur l'utilisation de Facebook par les boomers. Quelques jours plus tard, tu vas aller le présenter au Bordel (oui, le Bordel te sera ouvert, rendu là, on va pratiquement te dérouler le tapis rouge pour que tu y entres).

Ça lèvera pas.

Dès les premières secondes du numéro, tu vas réaliser que ce numéro-là a probablement été fait cent fois, et sûrement cent fois mieux aussi.

— Ce que je trouve fascinant, c'est que tous les boomers que je connais sont des fans *ultrafidèles* de iPad. Ça fait tout, là-dessus, ça parle à ses petits-enfants, ça prend des photos de la tour Eiffel, ça diffuse en boucle les photos de la tour Eiffel pour la visite, ça compte son cash sur AccèsD en te disant que tu travailles pas assez fort. Mais ce que je trouve super touchant, qu'il y a pas *un seul* boomer qui sait comment faire marcher ça comme du monde. C'est comme voir un enfant faire semblant de parler anglais.

Après, tu vas te mettre à imiter l'enfant en question, en faisant rouler dans ta bouche des consonnes vaguement anglaises. Ça va sourire, peut être un petit ricanement, rien de plus.

Tu vas réaliser que ce numéro-là vaudra pas tellement mieux qu'un numéro de Mario Jean qui parle de sa tondeuse. Tu vas être devenu ce que tu détestes depuis toujours.

Tu vas baisser ton micro. Tu vas balayer la foule avec les yeux.

— Je suis tellement désolé, guys. Une blague qui land aussi mal, ça me donne le goût de me suicider.

Ça, ça va les faire rire. Avant de rembarquer sur la suite du numéro, tu vas suivre le filon, juste pour voir: tu vas te dire que la soirée est déjà un échec, alors ça peut pas être pire.

— Je dis « me suicider », mais t'sais, ça peut être un suicide light. Dans le fond, tout ce que je voudrais, c'est que vous soyez témoins de ma mort pis que vous vous sentiez vraiment mal de pas avoir ri à cette blague-là.

Le poisson va se diriger vers l'hameçon. Ça va encore rire. Rire jaune. De malaise, oui. Mais un rire.

— Vous allez être tout autour de mon cercueil dans deux semaines en vous disant *ah mais si seulement on avait ri de sa blague. Peut-être qu'y serait encore avec nous.*

Le poisson va mordre.

— C'est ça que ça fait quand vous écoutez trop *L'effet papillon.*

Tu vas regretter, en disant ça: tu vas te dire que c'est une référence trop nichée, que pas grand-monde va faire le lien. Ça réagira pas: tu vas te dire que t'aurais dû couper court, que t'es passé d'une formidable récupération en désavantage numérique à scorer dans ton propre but. Mais une fraction de seconde plus tard, soit le temps que ça aura pris pour que tout le monde refasse le chemin mental menant au doux visage d'Ashton Kutcher, une fraction de seconde plus tard, la foule va s'enflammer, satisfaite non seulement du gag, mais aussi de la référence nichée, sortie de leur adolescence, et qu'ils avaient oubliée.

Mouliner. Mouliner fort.

— Toute façon, je me fais des idées. Vous serez pas autour de mon cercueil, je suis pas assez connu. Vous, si Louis-José Houde mourait, vous seriez probablement contents, tant que vous êtes invités à ses funérailles.

Ça va rire encore pendant plusieurs secondes, et tu vas même avoir droit à quelques applaudissements.

— Vous feriez un selfie. Genre : « Tag ton ami avec qui tu serais allé voir le prochain show de Louis-José Houde ! »

Tu vas avoir sorti le poisson de l'eau.

Tu vas rembarquer sur ta track, après, l'air de rien, et tu vas avoir trouvé comme un deuxième souffle. La salle va s'être réchauffée. Elle va te suivre où tu voudras.

Tu vas être accoté au bar, plus tard, quand un gars va venir t'offrir une bière en disant :

— Très cool ton numéro. La chire sur le suicide, au début, man, je me suis pissé dessus.

Le gars va s'être pissé dessus.

Tu vas suivre le filon. Tu sais rien faire d'autre. T'auras pas nécessairement envie de parler de ça, peut-être qu'au fond de toi tu vas juste rêver de faire des jokes scatologiques. Ça te ferait du bien, offrir un humour qui permet de penser à rien, d'exister en dehors du monde. Ça serait bien, une échappatoire. Mais les gens, ils vont aimer ça quand t'es déplacé et que t'es dark.

Tu serais rien, sans public. Il va falloir que tu lui donnes ce qu'il demande.

Tu vas construire un numéro qui va commencer avec une blague volontairement pas drôle (la blague sur les boomers et leurs iPad, ou une autre cochonnerie, selon l'envie du moment), tu vas faire ton bit sur le suicide pour faire culpabiliser le public de pas avoir ri de ta blague nulle, puis tu vas dire que tu sais bien que c'est terrible, parler de suicide, et que ça met tout le monde mal à l'aise, mais que c'est quand même un skill utile à développer, dans la vie, par exemple quand tu fais une intervention. Tu vas raconter l'histoire de Renaud, ton ami suicidaire que toi et ta gang aviez dû surveiller, et comment ça se déroulait quand tu passais des soirées avec lui :

— T'sais, tout d'un coup, tu deviens super self-conscious. Genre tu veux vraiment avoir une conversation avec lui, mais t'as l'impression que tout est sujet à dérapage pis pourrait le trigger : mettons, peux-tu attacher tes lacets devant lui ou ça y donne le goût de se pendre ?

Tu vas provoquer des petits cris de dégoût semi-feints, du genre qui te disent que tu vas beaucoup trop loin, et qu'en même temps, on aime ça parce qu'on a déjà, peut-être, une fois, eu une faiblesse, manqué d'empathie, et on a pu, très brièvement, penser ça. La catharsis. Les gens te payent pour ça : pour aller trop loin à leur place. Pour être wrong par procuration.

— La seule affaire c'est que quand le gars s'est mis à aller mieux, tout le monde est resté parano quand même. Pis quand y'est rentré chez lui une fois après une soirée, y nous a dit qu'y en avait assez pis qu'y voulait se pieuter. Faque je me suis dit que le best ça serait quand même d'envoyer la police voir si tout est beau pis le pauvre gars s'est fait défoncer sa portée d'entrée par le SWAT. Et j'aimerais vous dire que j'ai inventé ça!

Tu vas avoir inventé ça. T'auras pas d'ami qui s'appelle Renaud.

Ce numéro-là va être un hit immédiat. Chaque fois que tu vas monter sur scène, tu vas avoir l'impression de percer un ballon gonflé à bloc avec un exacto. L'impression que tu ouvres des vannes qui ont pas été ouvertes depuis vingt ans et que la pression relâche d'un coup. L'impression de nommer quelque chose que les autres osent pas nommer.

Mais les gens, ils disent rien de ça quand ils voient un humoriste. Ils disent que c'était drôle, mais ils vont tout de même pas se faire chier à pondre une thèse sur ta démarche. C'est ce qui est bien, en humour: les gens, ils viennent pour rire et, s'ils ont ri, ils sont satisfaits. On n'a pas à chercher midi à quatorze heures. On a juste à faire rire le monde: c'est simple. Pas facile. Mais simple.

Quand il va voir ton numéro pour la première fois, Thomas va te prendre à part, devant le bar, après le show. Il va te donner une clope. Il va t'allumer en protégeant la clope du vent avec une main. Il va dire:

— Ça va?
— Ben oui. Pour?
— Non rien, rien. Je demandais.
— Je vais bien, Thomas. Je dis des jokes pis le monde rit. Comment je pourrais mal aller?
— Tu fais plus que juste dire des jokes quand même—

— Je sais, je sais, j'ai une démarche, je raconte des affaires, bla bla bla. Mais tout ce que je te dis c'est qu'en ce moment, le monde m'aime. Comment ça pourrait mal aller ?

C'est la façon la plus correcte que tu vas avoir trouvée pour le rassurer.

— Es-tu inquiet parce que si je me pends, tu pourras plus faire les paiements sur ton chalet ?
— Raph.
— C'était une blague.
— Garde ça pour ton set, veux-tu ?
— Okay, boss.

Comme avec tout ce que tu vas créer comme matériel, tu vas prendre un instant pour te demander si j'aurais pu écrire quelque chose d'aussi bon. Et pour la première fois, tu vas croire sincèrement que non. Tu vas croire sincèrement que t'es le plus intelligent de nous deux. Pour la première fois, tu vas te croire supérieur à moi, et ça va te faire beaucoup de bien.

Tu vas avoir reçu quatre nominations aux Olivier cette année-là. Spectacle de l'année, Olivier de l'année, Chronique radio humoristique de l'année et Découverte de l'année. Tu vas toujours avoir dit que tu te fous des Olivier, surtout parce qu'au fond de toi tu voudras pas te faire de faux espoirs, mais une fois que tu vas être nommé, ça va t'intéresser pas mal plus de gagner.

Thomas va t'attendre sur le parvis de Radio-Canada, en suit sous le gros Kanuk que tu vas avoir reçu en commandite et que tu vas lui avoir donné. Il va te serrer dans ses bras avant de caresser ta joue fraîchement rasée en disant :

— T'as découvert l'existence des rasoirs ?
— Mon barbier m'a tordu un bras. M'a dit que je pouvais pas aller à un gala arrangé tout croche.
— T'es super beau, mon gars. C'mon.

Il va te traîner vers l'entrée principale en disant :

— Tu me le dis si tu veux que je te talonne ou que je te crisse la paix.
— Je sais pas ce que je veux, Thomas.
— Correct, t'as juste à me tenir au courant.

La foule va être dense, en dedans. Tu vas chercher une direction dans laquelle regarder qui te permettrait un minimum de te replier sur toi, mais à peu près partout où tu vas poser tes yeux, tu vas être obligé de faire des bonjours du regard et d'envoyer des sourires.

Thomas va t'emmener devant le fond aux couleurs des Olivier. Y aura beaucoup de lentilles devant toi et tu sauras pas exactement laquelle regarder. Tu vas sourire comme un idiot. Tu vas soulever Thomas en mariée et faire semblant de l'embrasser. Tout le monde va trouver ça au boutte et va se faire aller le flash.

Thomas va voir Sam dans la foule et lui faire signe de venir prendre une photo avec toi. Il va se tasser pour lui laisser sa place. Sam va te prendre par l'épaule.

Ça va être une belle photo. Elle va pas circuler tant que ça, le lendemain du gala, mais plus tard oui. Plus tard elle va circuler.

Sam va te dire, en changeant de pose :

— Je veux juste rappeler qu'on est tou'es deux nominés aux Olivier. Peux-tu croire ?

Tu vas lui sourire et répondre :

— Merci de pas m'avoir suivi jusque dans la catégorie radio, au moins.

Tu vas avoir été nommé quatre fois, dont trois fois contre Sam. Ça sera la première fois que tu vas avoir l'impression d'avoir battu Sam à quelque chose — mais ça vaudra pas grand-chose : les nominations valent plus rien une fois le gala passé.

Ça sera la première fois que tu vas avoir l'impression d'avoir eu le dernier mot sur Sam.

Vous allez vous déplacer vers vos sièges : vous allez être assis ensemble, toi, Sam, Thomas, et Forand. Avec toute la bienveillance du monde, Forand va se pencher vers toi pour dire :

— Déjà d'être nommé, c'est une chance extraordinaire, Raph. Sois fier de toi.

Il va se retourner vers la scène. Thomas va jeter un œil vers toi et murmurer :

— Forand est en train de chier dans ses shorts, mon gars.
— Mais y'a raison.
— Ben oui y'a raison. Ben oui. Mais vas-tu me dire que ça te ferait pas plaisir de shiner plus que Sam, pour une fois ?
— Je sais pas. On dirait que t'as autant envie d'humilier Forand que de me voir gagner.

Mariana Mazza, assise à côté de Thomas, va te faire les gros yeux. Thomas va se contenter de t'adresser un sourire en coin. Il va glisser sa main dans la poche intérieure de son veston, en sortir une flasque et te la donner. Du gin.

Ça va te brûler la gueule et te détendre juste assez pour que tu sois capable de faire semblant de te foutre de qui gagne.

Pierre Hébert va être à l'animation. Tu seras pas capable de l'écouter une seconde. Tu vas juste fixer le vide devant toi. Quand les gens autour de toi vont rire, tu vas les imiter, avec un petit huitième de seconde de retard.

Tu vas te réveiller seulement quand tu vas entendre :

— Dans la catégorie de l'Olivier de la Découverte de l'année…

L'écran derrière va projeter un montage avec des extraits de ton spectacle, de celui de Sam, de celui de la petite pas fine qui fait de l'humour woke pour gens de l'UQAM, du gars qui a toujours l'air d'être sur le mush, et du gars qui « souffre » de douance et qui parle de sa douance pendant une heure et demie de spectacle mais qui oublie qu'un spectacle d'humour est censé contenir des blagues.

— Le gagnant est : Raphaël Massicotte !

Tu vas avoir l'impression de faire une chute de pression. Tu vas te lever, monter sur scène, passer les dix premières secondes à ricaner comme un idiot avant de dire :

— J'aimerais profiter de ce trophée-là pour dire à l'orienteur de mon école secondaire qu'il devrait vraiment se trouver une autre job parce que, selon lui, j'aurais fait un très bon travailleur social. Premièrement, non, j'aurais probablement causé des dommages irréversibles. Deuxièmement, ça arrive-tu que tu fasses un test d'orientation pis que la réponse soit « humoriste » ?

Un rire franc va parcourir la salle. On va te donner une bonne main d'applaudissement.

— Aussi, Sam…

Tu vas pointer dans sa direction, même si tu le verras plus, avec l'éclairage de la scène.

— … Je veux juste te dire que je le partage avec toi. Mais t'es tellement gossant que le jury a probablement décidé de me donner le prix pour me récompenser de t'endurer depuis le jour un de l'École.

Tu vas sortir de la scène, disparaître en coulisse, revenir te rasseoir à côté de Thomas avec ton Olivier entre les pieds. Il va murmurer :

— Avec ça, on est corrects, man. On a tout ce qu'on voulait. C'est malade !

Sam va ajouter en te donnant un fist bump :

— Bravo, man. C'est fucking mérité.

La flasque de gin que Thomas va t'avoir donnée va être vide. T'auras pas le temps de t'en trouver une autre, parce qu'on va annoncer le gagnant du Spectacle de l'année, et que tu vas encore une fois entendre ton nom.

Tu vas être un peu plus gelé sur place, cette fois-ci. L'alcool va t'avoir amorti.

— Wow. C'était-tu si bon que ça, c'te show-là ?

Un *woo !* va retentir depuis le fond de la salle, suivi d'applaudissements.

— En tout cas, je veux dire un gros merci à toute l'équipe du show, évidemment, la production, le metteur en scène, mon gérant qui va être insupportable au party à soir, tout le monde. Un gros merci à tous les membres du jury que j'ai sucés, aussi.

Ça va rire généreusement, dans la salle.

Tu vas penser à moi, un instant. T'auras pas repensé à moi depuis quelques jours. Ça va faire ça, après un temps : les moments où tu vas penser à moi vont s'espacer de plus en plus. Au début ça va être à chaque minute, ensuite ça sera aux heures, et rendu là, parfois tu vas passer plusieurs jours, parfois même une semaine sans penser à moi : un miracle.

Mais là tu vas penser à moi. Tu vas te perdre dans l'immensité de la salle, à te demander si je pourrais, malencontreusement, avoir été invitée. À te demander si je pourrais être là, devant toi, à quelques mètres seulement, sans que tu le saches.

— Un gros merci à tout le monde. Vraiment.

Évidemment que tu voudras pas me faire l'honneur de dire mon nom.

Tu vas rester sur place, presque chancelant, à te demander quoi ajouter, mais le simple fait de m'avoir évoquée dans ton esprit, ça va te scier les ailes. Ta grande gueule va se calcifier et tu trouveras rien d'intelligent ni de drôle ni de surprenant ni même de colon et déplacé à dire.

Tu vas juste lever ton Olivier en quittant la scène, et la musique va partir avec un beat de retard, et il y aura juste un petit décalage, pas un froid, pas un malaise, rien de ça, juste un retard dans le déroulement du gala autrement bien huilé.

En sortant de la coulisse, plutôt que d'aller directement vers la salle tu vas arrêter au bar. Tu vas poser ton Olivier sur le comptoir. Ça va attirer l'attention du barman, plongé dans son cell, qui va lever les yeux vers toi et dire :

— Oh. Bravo.

Tu vas forcer un sourire poli.

— Je vais prendre un verre de blonde.

Tu vas te retourner vers le hall vide pendant qu'il va te couler la bière, pour éviter son regard et le décourager de te faire du small talk. Tu vas l'entendre déposer le verre de plastique derrière toi.

— Cadeau. J'aime beaucoup ce que tu fais.

Tu vas lui faire un oui de la tête. Plus que ça te demanderait trop d'énergie.

Tu vas siffler le verre d'un coup.

Thomas va te texter : *Qu'est-ce tu crisses ?*

Tu vas reprendre ton Olivier. Tu vas entrer dans la salle juste au moment où on annonce que tu gagnes l'Olivier de l'année.

Tu sauras pas où mettre l'Olivier que t'as en main alors tu vas monter sur scène avec. Tu vas te retrouver debout devant toute la salle une troisième fois, avec deux Olivier dans les mains, en plus de celui que t'as laissé à ton siège.

— Si on m'avait dit y a cinq ans que je serais ici à soir…

Si on t'avait dit cinq ans avant que tu te rendrais là ce soir-là, t'aurais cru que tu serais vraiment heureux. Et ce qui va te frapper, alors que tu vas chercher comment finir ta phrase en regardant l'assistance qui va être mi-impressionnée, mi-méprisante devant ta grosse récolte, ça sera que tu ressens rien, en fait.

Tu vas te pencher sur le micro et lâcher un rot. La salle va éclater de rire. Tu vas faire un grand salut, comme si t'étais Kent Fucking Nagano, et tu vas sortir de scène.

Les gens vont rire. Les gens rient toujours, peu importe ce que tu fais.

Ça sera l'avant-dernière fois que tu vas me voir.

Thomas va te traîner vers le mini-studio aux couleurs des Olivier pour qu'on te photographie avec tes trophées, et il va t'empêcher de justesse de mimer que tu t'en rentres un dans le cul. Il va surveiller nerveusement tes entrevues avec les journalistes, après, et tu vas sentir ses épaules baisser d'un cran quand tu vas avoir fini.

Daniel va t'apporter une bière en te frottant une épaule, l'air très satisfait, et en disant, sourire en coin :

— C'tait ben la peine de faire ta crisette le soir de la première.

Tu vas hésiter à lui foutre un Olivier au visage. Tu vas te contenter de caler la bière qu'il t'a donnée et de lui redonner le verre.

— Merci beaucoup, Daniel.
— Je te l'avais dit que ça marcherait, ton show.

André, Max Lap et Sam vont te traîner vers le coin photo à nouveau, pour faire des shots de groupe. Ils vont te soulever à l'horizontale avant de t'échapper parce que tu vas être trop mou pour te tenir. Sam va t'aider à te remettre sur pied. Tu vas murmurer à l'oreille de Sam :

— Vas-tu me pardonner, man ?

Il va se contenter de te regarder dans les yeux et de te sourire.

— Bon, on va-tu y décâlicer la face, à c'te party-là ?

Sur le chemin vers le party, André va t'offrir tes premières clés, et ça te fera rapidement réaliser qu'il commençait à être grand temps que tu te mettes à la poudre, parce que les murs commençaient à orbiter autour de toi. Ça va te donner un genre de stabilité et ça va te couper l'envie de vomir. Ça va te permettre d'énoncer plus que des monosyllabes, aussi.

Il va y avoir beaucoup de gens, au party. Normalement, les gens t'es capable de les éviter, t'as raffiné l'art de slalomer entre les conversations non désirées. Mais là, tout le monde va vouloir interagir avec toi, même quand tu vas changer de direction en les voyant, même quand tu vas leur tourner le dos, même quand tu vas les ignorer. Les gens, ils vont avoir besoin de te dire qu'ils t'aiment et qu'ils te trouvent extraordinaire. Les gens ils vont faire des selfies avec tes Olivier et toi. Les gens ils vont avoir des haleines tiédasses à saveur de menthe et de bière. Les gens ils vont sentir la sueur. Les gens ils vont te faire la bise et leur peau va être moite ou râpeuse ou huileuse et ça sera jamais agréable.

Mais ça va aller. À force de te faire féliciter et de te faire répéter que t'es le king de la soirée, à force d'aller faire des tours aux toilettes avec André et Sam et Max Lap, tu vas finir par croire que oui, peut-être que cette soirée-là est à toi.

Puis tu vas me voir.

J'aurai pas pris de place, je vais avoir été discrète, dans mon coin. Je vais avoir été assez intelligente pour savoir qu'il faut pas te provoquer. Mais je vais être là. Parce que ça sera pas un club privé, après tout, et que n'importe qui qui gravite de près ou de loin dans le milieu va être là, ce soir-là. Ça sera pas si inhabituel. Ça sera naturel que je sois là.

En temps normal ça t'aurait rendu triste de me voir. Ton dos se serait arrondi, tes yeux se seraient ramollis, t'aurais eu envie de fondre par terre et de disparaître de la salle. Mais là, non. Là tes muscles vont se bander et le feu va te couler dans les veines.

Là, t'auras pas le temps de réfléchir que tes jambes vont te tirer vers moi. Avant d'avoir eu le temps de prendre une décision, tu vas te retrouver à quelques centimètres de mon visage, à hurler comme une hyène:

— Qu'est-ce tu câlices icitte?

Je vais être douce. Je vais savoir qu'il faut pas te provoquer: je vais te connaître encore bien, à ce moment-là, et je vais savoir que quand t'es en furie, il faut parler lentement, sans éclat, baisser les yeux, tout faire pour calmer la bête.

— Salut, Raph.
— C'est mon turf, ici, tabarnak!
— Je...
— Mon turf!

Ça va avoir pris juste quelques secondes pour que les larmes te montent au visage.

— Mon turf ! À moi ! T'as pas d'affaire à venir me provoquer sur mon terrain ! Étais-tu nominée, toi, à soir ?
— Ben techniquement avec ton show—
— Non ! T'étais pas nominée ! Parce que t'es fucking rien ! Sans moi t'es rien ! La seule raison pour laquelle t'as réussi à travailler ne serait-ce que deux minutes en humour, c'est parce que moi je t'ai ploguée ! Pis qu'est-ce tu fais, là, depuis qu'on est pus ensemble ? Fuck all ! FUCK ALL ! Parce que tu vaux rien, pis que t'es une estie de coquerelle !

En gesticulant, tu vas passer proche de frapper un serveur avec ton Olivier. Je vais suggérer, le plus respectueusement du monde :

— Raph. Tu devrais te calmer.
— Me calmer !
— Si tu peux.
— Me fucking CALMER !

Je vais être la seule à le voir, mais tu vas être dégueulasse. Les muscles de ton cou vont être tellement tendus qu'on va voir la forme de ta trachée. Les veines sur tes tempes vont être saillantes comme sur des mains de vieille madame. Tu vas être mouillé de sueur comme si tu sortais d'un sauna.

— Me ! Fucking ! Calmer ! C'est tellement fucking facile à dire, pour toi ! As-tu déjà levé le ton, toi ? T'as tellement le beau fucking jeu, avec tout le monde qui dit que Laurie est don' fine, que Laurie est don' parfaite, que Laurie est tellement tout le temps fucking relax ! Je suis tanné, estie, que tu mettes tout le monde dans ta poche ! Pis que tout le monde te trouve tellement fucking intelligente pis parfaite! Parce que moi je le sais! Moi je le sais! T'es une estie de fraude! Moi je te connais pis je le sais que c'est un fucking *front*! Parce que je le sais que t'es pas une bonne personne! T'es pas capable de rien faire d'autre que regarder les autres pis les juger! Pis tu rêves juste de tailler tout le monde en pièces parce que tu les envies, parce que toi t'es incapable de faire autre chose que regarder le monde faire pis critiquer! C'est sûr que c'est facile d'avoir l'air distante pis supérieure quand tu te commets jamais! Mais moi, Laurie, moi je suis game de me montrer, même si y a un risque que je me pète la gueule! Pis sais-tu quoi? Ça paye. Ça fucking paye! Parce que regarde!

Tu vas brandir ton Olivier à quelques centimètres de mon visage.

— Moi j'ai ça. Pis toi t'as rien. Pis t'es fucking rien.
— Raph, je pense que t'as besoin d'aide.
— Parfait, ça! Quand t'as pus d'arguments, dis juste que j'ai un problème mental pis tu vas avoir le beau jeu!

Une main va se poser sur ton bras. Rien de menaçant. Quelque chose de bienveillant.

— Raph. On va aller fumer une clope, veux-tu?

Sam. T'auras jamais vu Sam être aussi doux avec toi, avant. Tu vas le regarder. Tu vas réaliser que t'es haletant. Tu vas essayer de ralentir ta respiration. Tu vas tourner le regard vers moi. Faire un pas, juste un pas, un tout petit pas dans ma direction. Me dire, beaucoup plus doucement:

— Le monde m'aime, maintenant, Laurie. Moi le monde m'aime.

Sam va t'entraîner vers la sortie en offrant des sourires désolés aux gens autour. T'en verras pas grand-chose.

Quand tu vas pousser la porte, tu vas avoir l'impression de respirer pour la première fois depuis deux heures. L'air froid de décembre va te faire réaliser que t'es pratiquement trempé de bord en bord. Et, si tu vas avoir envie de te replier sur toi pis de fondre en larmes en hurlant à t'en vomir la pomme d'Adam, tu vas devoir te contenter de bloquer ton appel d'air et de serrer les dents très fort, parce tu vas être devant Sam. On pleure pas devant les gens.

Tu pourras pas le regarder dans les yeux. Tu vas fixer les lumières de la ville, au loin. Les chars qui passent dans la rue. Après un long temps, Sam va oser briser le silence :

— That went well.
— Merci.
— C'était une joke.
— Fuck you.

Il va t'offrir une cigarette. Faire danser la flamme devant ton visage. Tu vas inspirer. Ça va te monter à la tête comme un douche froide.

Sam va dire :

— Veux-tu commander un Uber ?
— Pourquoi ?
— Y'est passé deux heures.

— Justement.
— Je pense que ça serait un bon moment pour rentrer.
— De quoi tu fucking parles un bon moment pour rentrer? C'est quoi ton estie de problème?
— Raph—
— C'est pas vrai qu'a va gagner, la tabarnak!
— Je disais juste ça pour—
— C'est mon turf! À moi! Le mien! C'est pas vrai qu'a va me chasser de mon turf! Pas le soir où je gagne toute!

Sam va tenter de te retenir mais tu vas le pousser. Tu vas voir flou mais tu vas te fier à la basse pour retrouver le party. Tu vas bousculer tout le monde sur ton passage. Quand les gens vont pas bouger assez vite tu vas leur donner des coups de coude. Juste parce que tu vas pouvoir te le permettre. Tu vas renverser au moins deux bières par terre, et un verre de vin rouge sur le chemisier blanc d'une influenceuse. Tu vas la traiter de conne.

Tu vas te stasher au bar et demander un double gin tonic. Le barman va te dire:

— Vous allez payer comment?
— C'est bar open!
— Non.
— C'est bar open, tabarnak!
— Non, monsieur.
— J'ai gagné, tabarnak! J'ai toute gagné! Je mérite ben un verre!

Tu vas prendre le verre sans payer, tu vas lui envoyer ton majeur et retourner sur le dancefloor. Je vais encore y être. Tu vas t'approcher de moi. Lever ton verre dans les airs. Te déhancher près de moi. Comme si on était deux personnes, n'importe quelles personnes, en train de faire le party. Je vais te tourner le dos et m'éloigner de toi. Tu vas saisir mon bras. Tu vas me retourner vers toi. Tu vas lâcher mon bras.

Je bougerai pas. Je vais juste te regarder. Peut-être que je vais être morte de peur. Peut-être que je vais simplement savoir que c'est la meilleure chose à faire. Tu vas approcher ton visage très près du mien. Tu vas dire, avec juste assez de volume pour je t'entende un peu par-dessus la musique :

— T'es vraiment un être humain de marde.

Tu vas cesser de voir en vidéo. Le reste de la soirée va se résumer à une succession d'images. Mon dos, perdu quelque part dans la foule. Les bouteilles parfaitement alignées derrière le bar. Le visage interrogatif de Thomas et ses mains qui agrippent ta nuque. Ton Olivier sur le distributeur à papier cul. Tes souliers couverts de vomissure.

Les images vont recommencer à s'enchaîner quand tu vas réaliser que t'es assis dans un taxi avec Thomas et sa blonde.

— Où est-ce qu'on s'en va ?, tu vas demander.
— Chez vous, Thomas va dire.
— Y a pas d'after ?
— Y a pas d'after, non.

Tu vas accoter ton front contre la vitre. Refaire le fil de la soirée dans ta tête.

Tu vas avoir un instant de clarté d'esprit. Ça va te faire fondre en pleurs. Tu vas chigner comme un bébé, appuyé contre la vitre du taxi :

— Laurie est une estie de plotte.

La blonde de Thomas, devant, va jeter un regard inquiet vers toi. Tu vas marmonner à travers tes larmes :

— Vous êtes pas d'accord ?

Thomas va regarder sa blonde, mal à l'aise.

— Avouez que c'est de l'estie de marde, ce qu'elle écrit. Thomas, tu le sais, t'as vu à peu près tout ce qu'elle a fait !

Après une longue inspiration, il va répondre :

— C'est vrai qu'elle a pas révolutionné l'humour, non.

Le simple fait d'entendre ces mots-là, ça va te réchauffer le ventre.

— Comment tu vas ?

Le ton de Thomas va être prudent. Il va connaître la réponse, au fond. Il va être à la pêche pour évaluer l'étendue des dégâts.

Tu vas être à genoux devant la bolle quand tu vas recevoir l'appel. À expulser de la bile et de l'air, pour la quatrième fois depuis ton réveil. Ton estomac va être vide mais tu vas encore être en train d'essayer de te vider.

— J'ai gagné trois Olivier. Comment tu veux que j'aille.

Il va y avoir un silence sur la ligne. Puis une respiration : un soupir résigné. Tu l'entendras pas. Tu vas être occupé à contrôler ta respiration pour survivre aux coups de marteau que tu vas recevoir sur les tempes à chaque battement de cœur.

— C'était une grosse soirée pour toi, hier.
— Mm-hm.

Tu vas te lever. Enfiler tes AirPods pour dégager tes oreilles et te permettre de te laver le visage.

— Tu fais quoi, là ?
— Je me lave la face.
— Okay.
— J'avais rien, à matin, toujours ?
— Non, non.

— J'avais peur que tu m'appelles pour ça, que j'aie passé drette pour de quoi.
— Non. Non.

Un autre silence.

— Peux-tu me raconter ta soirée d'hier ?
— T'étais là. Pourquoi je te la raconterais.

Tu vas te voir pour la première fois depuis ton réveil. Ça sera pas joli. La première chose qui va te sauter aux yeux, ce sera ton œil au beurre noir.

— Est-ce que je me suis battu, hier ?

Tu vas remarquer un filet de sang croûté sur ta main droite.

— Non. Pas que j'aie vu, en tout cas.
— Dommage.
— Mais ça serait pas étonnant.
— Parce que j'ai un œil au beurre noir.
— Peut-être en sortant du taxi, hier. T'es tombé. Je sais pas.
— La main, aussi.

En t'inspectant de plus près, tu vas remarquer que ton visage va être couvert de minuscules point rouges et mauves, dispersés en forme de masque partout autour de tes yeux. Tu vas avoir vomi à t'en faire éclater les vaisseaux sanguins. Puis la peau, en dessous : grise et translucide. Un filet de vomissure va avoir séché sur ta joue.

— Je pense que je pourrai pas faire de télé dans les deux-trois prochains jours. Ou peut-être juste être ben make-uppé.

— T'as pas de télé dans les deux-trois prochains jours, Raph. C'est correct.

Il va prendre une longue inspiration et ajouter :

— Tu peux pas toujours faire ça, hein.
— Mais je fais pas toujours ça. C'était une occasion spéciale, hier. J'ai gagné trois Olivier.
— Raph.
— C'est quoi, le fuck ? C'était les Olivier, man. Y a toujours une personne lourde qui perd la carte. Cette année c'était moi.
— Oui.
— Est-ce que j'ai fait de quoi de vraiment grave, mettons ? De criminel, qui pourrait vraiment me mettre dans' marde ?
— À part possession simple de cocaïne, non. Non.
— Mais ça tout le monde était coupable de ça hier.
— Oui.
— Faque arrête de capoter.
— Raph, tu peux pas te comporter comme ça en public.
— C'était pas « en public », hier.
— Oui.
— Des humoristes, c'est pas « du public. » Tout le monde sait qu'on est une gang de pervers narcissiques qui se battent pour avoir de l'attention.
— Pas ce genre d'attention là.
— As-tu lu les nouvelles ? Tout ce que ça dit, c'est que j'ai gagné trois Olivier. J'ai gagné trois Olivier pis c'est tout, man.

Tu vas vouloir continuer, mais tu vas être forcé de t'arrêter pour ralentir ta respiration. Ton mal de tête va s'amplifier. Tu vas devoir fermer les yeux à chaque coup de masse sur tes tempes. T'appuyer sur le lavabo de la salle de bain.

— J'ai gagné trois Olivier, Thom. J'ai gagné trois fucking Olivier.

Te replier sur toi.

— J'ai l'amabilité de me fermer la gueule pis de faire comme si de rien n'était pour que tu puisses payer ton chalet, faque si un soir je décroche tout, peux-tu me sacrer une petite patience?
— T'aurais pas été dans cet état-là si t'avais juste été en train de célébrer.

Les coups de marteau vont devenir trop forts: tu vas sentir ton estomac pulser, ta gorge se dilater. Tu vas redescendre au niveau de la bolle. Appuyer tes mains directement sur le rebord de la toilette. Ça va serrer à en faire mal de bord en bord. Tous les muscles de ton corps vont se contracter pour te faire exploser, mais tu vas juste cracher un très long filet de bile dans la toilette.

— Raph? Es-tu correct?

Tu vas t'asseoir par terre.

— En général, je dirais non, Thom. En général je te dirais non.

Un crépitement sur la ligne: le froissement du veston probablement frais pressé de Thomas, alors qu'il se replace dans la chaise de cuir de son bureau. Tu vas t'être senti menacé et, pour riposter, tu vas avoir lancé Thomas sur un territoire où il peut pas marcher avec assurance:

parler d'émotions. Et tu vas espérer, pendant une seconde, que Thomas brise le moule de ses conversations habituelles, qu'il te dise qu'il a compris pourquoi t'as été aussi déguculasse pendant le party, et que ça rend pas ça plus intelligent pour autant, mais qu'il comprend, et qu'il te dise qu'il sait qu'il peut pas faire grand-chose, mais qu'il comprend, au moins, qu'il sait que c'est parce que t'es cinglé, au fond, et que ça le gêne pas de l'admettre : t'es cinglé et c'est pas grave, on va faire avec, y a moyen, des comme toi y en a à la pelletée.

Mais y aura pas ça à l'autre bout de la ligne. Y aura juste le léger bruit de Thomas qui mouille ses lèvres nerveusement en cherchant quoi dire, puis :

— Mais tu devrais pas. Tu l'as dit, tu devrais être fier de toi, avec ce que t'as remporté hier.
— Je veux plus que tu me représentes, Thomas.
— Quoi ?

Un autre froissement de veston. Plus frénétique, celui-là. Tu vas arriver à te lever, à t'éponger le visage, à te traîner jusqu'à la cuisine pour te couler un verre d'eau avant que Thomas produise un autre son.

— Raph, je vais te laisser te reposer, t'as eu une grosse soirée.
— Parfait. Tu me diras comment ça fonctionne pour briser le contrat, si j'ai des affaires à signer, de quoi.

Pas de froissement, cette fois-ci, mais un silence tendu, une respiration sonore.

— Raph. T'es fatigué. On en reparle quand t'es reposé.

— Non, man. Je sais ce que je veux. J'ai plus envie d'être représenté par un énergumène.
— C'est le genre de décision qui se réfléchit, qui se parle. T'es vraiment mieux d'y repenser un peu.
— T'es pas parlable. J'y ai pensé en masse. Je veux plus qu'on travaille ensemble.
— Tu tofferas pas deux jours si je suis pas là pour régler tous les détails de ta vie.
— Je vais trouver quelqu'un d'autre. Je veux dire, je viens de gagner trois Olivier. Je peux sûrement me trouver quelqu'un de correct, non ?

Un silence.

— Est-ce que je peux au moins savoir pourquoi ?
— Les choses arrivent pas toujours pour une raison, Thom.

Le bruit de la pièce autour de Thomas. Une lointaine sirène.

— Okay. J'ai deux de tes trois Olivier, si tu les cherches. On s'écrira pour les choses pratiques.

Autour de deux heures de l'après-midi, ton téléphone va se mettre à sonner sans arrêt. Tu vas te dire que ça y est, t'as commis un crime au party et ça commence, on va te demander de commenter, de te défendre, de confirmer. Mais en fait tu vas avoir trois messages de boîtes de gérance qui vont t'avoir appelé pour t'offrir de te représenter.

Dont Forand :

— Écoute, Raph, c'tait un plaisir de te voir hier, c'est toujours un plaisir de te voir, toujours un plaisir, ben content pour toi pour hier, hein, ben content pour toi, comme je te disais au gala c'était mérité, j'étais sûr que t'allais tout ramener, c'était évident, hein, 100 % évident.

Y aura une pause d'une demi-seconde.

— Écoute. J'ai su pour Thomas. Très dommage, je sais que vous aviez une belle relation. Mais si jamais t'avais le goût de venir chez nous, on pourrait te prendre. J'ai toujours aimé ce que tu fais. On pourrait avoir une belle collaboration, nous deux. En tout cas. Bravo encore pour les Olivier. Reviens-moi pour un meeting.

Tu vas lui répondre par texto : *C'était à vous de me signer à ma sortie de l'école.*

Tu vas essayer de faire comme si de rien n'était, dans les jours suivants. Ça ira pas du tout. Tout le monde va te courir après, comme tu vas tout juste sortir des Olivier. Tu vas devoir répondre à ton téléphone et parler à des humains. Le secrétariat, ça fait pas partie de tes talents. Tu vas devoir régler toi-même ton réveil et estimer ton temps de déplacement. T'auras jamais développé cette compétence-là non plus. Tu vas devoir signer des contrats et négocier des cachets. Ta dernière équation mathématique va remonter à tes maths 416.

Tu vas rater une entrevue à *Salut Bonjour* et te pointer deux heures en retard sur un tournage. Tu vas remarquer que quelque chose a changé quand personne va t'engueuler ou même te reprocher ton retard. Les gens ils vont vouloir t'avoir, alors ils vont devoir faire avec.

Tu vas arriver à huit heures moins dix pour ton show à Juliette parce que tu vas croire que tu jouais au Dix30 ce soir-là. Tu vas te pointer à un essayage dans lequel pas un morceau va te faire parce que tu vas avoir envoyé des mensurations approximatives à la costumière. La fille va être furieuse. Tu vas dire que c'est la faute de ton ancien gérant, qu'il est complètement nul et que c'est pour ça que tu l'as renvoyé. Quand elle te va te montrer que le courriel qu'elle a reçu venait de toi, tu vas répéter que c'est ça : t'as renvoyé ton ancien gérant, toi-même, parce qu'il était pas fiable. Ça va la faire rire et tu vas être tout pardonné.

À vingt-six ans, ça va faire cinq ans que tu vas avoir géré aucune question d'argent ni d'agenda. T'auras pas pris de rendez-vous chez la coiffeuse ni le dentiste, pas déposé un chèque. Pas eu à régler de conflits d'horaire, à rappeler des coordos pour confirmer ta présence quelque part. Thomas va t'avoir servi de tampon contre les complications inutiles de tous les gens dont la job pourrait être abolie si on acceptait que tout, dans la vie, peut se régler avec un courriel de deux lignes plutôt qu'avec cinq meetings de quatre heures et trois appels conférences avec Toronto. C'est peut-être le plus grand luxe que tu vas te payer de toute ta vie, cette protection des choses pratiques.

Après deux semaines de calvaire, à passer la moitié de ta journée à faire des téléphones et à envoyer des courriels plutôt qu'à faire ce pour quoi on te paye normalement, tu vas péter un plomb et décider qu'il te faut, effectivement, quelqu'un pour remplacer Thomas. Mais remplacer Thomas serait trop de trouble alors tu vas simplement retourner le voir.

— On va mettre une chose au clair : tu me dis pas quoi faire. Okay ?

Tu vas avoir rejoint Thomas chez lui. Tu vas être debout entre son lit et sa table de travail. Il va te regarder, calé dans sa chaise, gelé sur place. Il va être en joggings, avec un vieux t-shirt. Tu vas pas l'avoir vu sans veston depuis au moins trois ans.

— C'est moi le boss. Okay ? Si on décide de re-signer ensemble, Thomas, c'est moi le boss.
— Okay.

— Tu me dis pas quoi faire. Ta job c'est de me prendre comme je suis pis de t'arranger en conséquence.
— Okay, Raph.
— Pas de me faire rentrer dans une estie de case.
— Okay.
— T'as essayé de faire ça pis ç'a mal fini.
— Pis pourquoi tu veux recommencer avec moi?
— Parce que je le sais que t'as un chalet à payer pis que tu vas te fermer la gueule.
— Je suis pas mal pris, Raph.
— En connais-tu beaucoup, des gérants qui signent leurs deals à côté de leurs bobettes sales?

Les yeux de Thomas vont glisser vers la pile de linge sale à côté de toi, par terre.

— On était dans le rush, on a pas eu le temps de faire le lavage pis—
— Si l'offre te tente pas t'as juste à dire non, Thom.
— Pourquoi ton offre sonne comme une menace?
— Je suis pas dans tes shorts, man. Si tu te sens menacé, c'est ta business, parles-en avec ton psy.
— Non, c'est pas ça, c'est juste... me semble qu'on avait une relation plus amicale, nous deux. Je veux dire, on est des chums, c'est pour ça que ça marchait.
— Ben c'est peut-être ça le problème, Thom. On a mélangé les affaires. J'ai pas envie d'être ton chum. J'ai pas besoin de ça. Moi ce que je veux, c'est quelqu'un qui est capable de booker mes rendez-vous, de négocier mes cachets, d'engueuler le monde incompétent, pis surtout, de se mêler de ses câlice d'affaires. Es-tu capable de faire ça?
— ... oui.
— Toi, la question qu'y faut que tu te poses, c'est: as-tu besoin de cash?

Thomas va scanner son appartement et échapper un soupir. Tu vas continuer :

— C'est pas comme si t'avais vraiment une écurie très prometteuse.
— J'ai Martine.
— Martine a de la misère à remplir trois soirs au Zoofest pis elle fait des chroniques sur son allaitement dans des émissions que tout le monde s'en torche.
— Est vraiment sur le bord de débloquer.
— Dude. A fait ça depuis dix ans. Si a'l intéressait quelqu'un, on le saurait. C'est pas une humoriste, c'est une blogueuse maternité.
— Mais y a JF.
— Thomas. JF est barré de partout.
— Pas de partout…
— Y'a comparé PKP à un pédophile live à Radio-Canada.
— Oui, bon, c'tait de l'humour.
— Les avocats l'ont trouvé moins drôle. Pis anyway, pas sûr que tu vas faire ben de l'argent avec un humoriste qui se décrit lui-même comme anticapitaliste.

Thomas va se relever et faire les cent pas dans le seul petit espace libre de sa chambre.

— C'est juste— je veux pas de trouble, Raph.
— Pour ça, y'aurait fallu que tu sois fonctionnaire.
— Peux-tu juste me promettre une chose ?

Thomas va s'arrêter devant toi, presque haletant.

— Peux-tu essayer d'arrêter de boire ? Juste essayer ? Pour voir ? Ça pourrait t'aider à aller mieux, aussi.

Tu vas sombrer dans l'enfer de la sobriété.

Tu vas effacer le numéro que Sam t'aura donné et tu vas vider tes bouteilles de fort dans le lavabo.

On n'est pas préparé pour ça. Personne l'est. Qu'une chose avec laquelle on grandit et qui fait partie du quotidien devienne, du jour au lendemain, un poison proscrit, c'est pas normal.

Les premiers jours, ça sera pas joli. Tous les matins, tu vas sortir de ton lit sans avoir réussi à fermer l'œil une minute. Faudra que tu laves tes draps à chaque fois parce que tu vas avoir sué comme un cochon. Tu vas trembler, aussi. Mais ça va passer assez vite.

Le plus difficile, ça sera que personne va t'avoir appris comment on fait pour monter sur scène à jeun. Tu vas avoir fait ça un maximum de cinq fois, et jamais par choix, seulement parce que tu vas avoir renversé ta bière, ou que tu vas être arrivé trop tard à la salle et que t'auras pas eu le temps de boire. Personne fait ça par choix.

Personne fait ça par choix, tu vas te dire en faisant les cent pas dans ta loge, le premier soir où tu vas devoir monter sur scène à jeun. Le temps va passer plus lentement que d'habitude, et ta pression sanguine va augmenter sans arrêt dans la dernière demi-heure avant de monter sur scène. Tu pourras pas te perdre dans le set de Max Lap avant toi. Ça te relaxera pas de le regarder de la coulisse. T'arriveras pas à être dans le moment. Tu vas juste anticiper ta performance, en alternant entre répéter ton show dans ta tête et te dire que ça te prendrait une bière là, maintenant, tout de suite, sinon tu vas mourir.

Tu vas être capable de faire le show, évidemment que tu vas être capable de faire le show. Mais tu vas avoir la fluidité d'un robot rouillé, sur scène. Tu vas avoir l'impression que ton corps est désarticulé. Que t'arrives pas à réagir à ce qui se passe devant toi. Tu vas avoir un filtre.

Un *filtre*. Toi, le gars qui a fait son fonds de commerce avec le fait d'aller trop loin, de dire le commentaire de trop, d'être inapproprié, excessif, too much, tu vas avoir un *filtre*, et parfois, quand tu vas prendre un spectateur à partie, une bitcherie potentielle va atterrir sur ta langue mais tu vas t'arrêter un instant et te demander *est-ce que je dis ça ? est-ce que je dis vraiment ça ?* et plutôt que de la cracher tu vas l'avaler.

C'est pas que ça va ruiner le show. Le show il va rester bon, c'est pas la question. C'est que ça va t'enlever tout le plaisir que tu peux possiblement ressentir à être sur scène.

Ça va t'enlever tout autre sujet de discussion possible, aussi. Il va te manquer peut-être deux nouveaux numéros pour boucler ton prochain show, t'auras gardé le matériel sur le suicide, Daniel il va aimer ça, il va dire qu'on va pouvoir te vendre avec une voix plus mature, plus réfléchie, plus dark, et qu'il y a un public pour ça.

De toute façon, après tes Olivier, tu lui proposerais un show de drag queen qu'il accepterait.

Mais t'auras plus rien d'autre à raconter que le fait que tu trouves que les journées sobres sont longues et les soirées encore plus. Et les gens ils veulent pas se faire parler de combien ta vie est ennuyante. Dark, désespérante, peut-être, oui, y a moyen de les faire rire avec ça. Mais l'ennui, ça fait pas rêver.

Ça sera particulièrement gênant un soir au Terminal.

— Salut salut tout le monde, très content d'être là... Mais juste, euh...

Tu vas faire une petite moue de malaise au public.

— Avant de commencer je sais pas si ça serait possible de juste enlever l'alcool de sur les tables ? Juste que j'aie pas ça dans mon champ de vision ? Parce que j'ai arrêté de boire y a une couple de mois pis je trouve ça tough de voir de l'alcool de même.

Tu vas avoir entendu plus de rires à des funérailles qu'après cette ligne-là.

— Pis là je vous suggère pas de le caler, là, en fait ce serait pire, non, peut-être juste, je sais pas, le renverser par terre, d'après moi le staff va comprendre, t'sais c'est une condition médicale.

Pas même un peu de friture sur la ligne.

— L'affaire que personne te dit sur la sobriété, c'est que c'est plate en calvaire, hein ? Voyez, j'ai mon agenda de la dernière semaine, ici...

Tu vas sortir un papier de ta poche. Déjà, ça va paraître trop placé, trop arrangé avec le gars des vues. Le public aime pas ça. Le public veut de la spontanéité. Le public veut te voir inventer sur le moment. Tu vas être en train de lui mentir.

— Lundi soir : boire une tisane, organiser ma collection de chaussures, dodo à huit heures. Mardi soir : boire un kombucha, écouter *Décore ta vie*, dodo à huit heures. Mercred… ah, ça c'est plus le fun, tu vois : boire un thé vert, aller aux putes, dodo à neuf heures.

Silence radio, encore. En temps normal, avec deux pintes dans le corps, tu foutrais le numéro aux vidanges, t'en rirais avec le public, tu te roasterais toi-même, tu prendrais la salle à partie pour détruire tes blagues qui lèvent pas — et ça donnerait une super bonne performance. Mais là, tu vas juste rester là, à regarder le train rouler vers toi à toute vitesse en espérant qu'il te frappe au plus vite.

— L'autre truc aussi, c'est les relations sociales… Voyons, pourquoi est-ce que c'est juste *maintenant* que je réalise que tout le monde est plate à mort quand on est à jeun ? Je pense que vous êtes pas conscients du privilège que vous avez. Une bière c'est bien, la conversation coule. Dix bières c'est comme si c'était un chum du secondaire. Un quart de poudre c'est comme si tu venais de te trouver le meilleur partenaire d'affaires.

Un rire poli, ton premier du set. Mais probablement qu'il va t'être accordé juste parce qu'une bonne partie du public va te connaître et va *vouloir* t'apprécier, sans le pouvoir. Ils vont te prendre en pitié et avoir mal pour toi.

— En fait, j'ai beaucoup analysé ça, pis je suis arrivé à une conclusion: les problèmes, c'est pas la drogue pis l'alcool. C'est *arrêter* l'alcool pis la drogue. Faque je pense que si tu te maintiens à un bon niveau, de manière constante, toute la vie, y en aura pas de problème.

Ça va peut-être glousser un peu, mais ça va s'arrêter là.

Tu vas prendre un temps d'arrêt pour regarder la salle. Scanner de gauche à droite. Dix bonnes secondes de temps. Assez pour que des spectateurs commencent à remuer dans leurs sièges. Puis:

— Guys. On va pas se conter de pipes. C'est de l'estie de marde, ce numéro-là.

Et là, tout le monde va se plier en deux.

— Écoutez ben, je vais rentrer chez nous faire le ménage pis je vais vous revenir quand je vais avoir trouvé mes morceaux de talent que j'ai perdus en dessous du divan.

La barmaid va te jeter un regard soucieux quand tu vas passer devant elle pour retourner à la loge. Les spectateurs vont t'applaudir gentiment. Une spectatrice va t'attraper le bras et dire:

— C'est correct, Raph.

Tu vas juste accélérer le pas. Sam va être évaché dans la loge quand tu vas entrer:

— Déjà fini ?
— J'ai le goût de me fendre le front sur le coin d'une table, Sam.
— Qu'est-ce qui est arrivé ?
— Tout est arrivé, man.
— On sort. Okay ? On sort après pis on oublie ça.

Tu pourras pas dire que tu verras pas un soupçon de satisfaction sadique dans l'œil de Sam. Il va se lever pour aller faire son number pendant que l'animateur va tenter de récupérer ton dérapage et de redonner de l'énergie à la foule. Tu voudras pas aller l'écouter. De la loge, tu vas entendre que la salle va se pisser dessus presque dès le début de sa performance, et ça sera déjà assez pour te faire mourir en dedans.

Sam va coller au bar après le show parce qu'une spectatrice va absolument avoir voulu lui parler. Tu vas rester dans ton coin à boire ton Perrier les yeux au sol pour éviter les regards de pitié et de mépris.

Puis, finalement, Sam va venir te rejoindre avec sa petite spectatrice.

— On sort, man. Soleil va venir avec nous, c'est bon ?

Forand va se greffer à vous, au bar. Comme Sam fera pas d'effort pour t'inclure dans ses conversations avec la petite Soleil, tu vas être obligé de lui jaser.

— Ça se passe bien, avec Thomas ?
— Ouais, ouais.
— Y'est cool, Thomas.
— Ouais.
— Pas très agressif, mais y'est cool. Un peu mal conseillé des fois aussi je trouve, pas nécessairement le meilleur négociateur, mais y'est cool. Y'est ben cool.
— Ouais.

Forand va détonner, dans le bar, mais il aura pas l'air de s'en rendre compte : le deuxième client le plus vieux va avoir autour de vingt-huit ans, alors que lui va faire la mi-quarantaine, au moins. Il va continuer :

— T'as su pour Sam ?
— Quoi, Sam ?
— Y va animer un gala cet été.
— Ah ouais ?
— Ouais ! Y t'ont pas approché ?
— Non, non.
— Étonnant, pareil. Avec l'exposure que t'as eu, après tes trois Olivier, on aurait pu penser que… Thomas a pas pensé que t'aimerais faire ça ?

— Ben là, Thomas c'est pas le bon Dieu non plus, y a toujours ben rien que, quoi, cinq galas?
— Un bon gérant ça sait toujours pousser aux bonnes places, t'sais.

Tu vas lui sourire, comme pour lui donner raison, parce que c'est visiblement ce qu'il va vouloir, et que t'auras pas l'énergie de lutter. Forand sera pas satisfait tant que tu lui auras pas dit que ça t'empêche de dormir la nuit d'avoir refusé qu'il te représente, que tu regrettes, que tu *rêves* de travailler avec lui.

— Mais je suis sûr qu'on pourrait au moins te ploguer une présence sur le gala de Sam! Les deux chums d'École ensemble, ça serait super! Anyway, t'as du nouveau matériel, non?
— Oui, oui.
— D'ailleurs ce soir, t'avais du nouveau stock, non? C'était comment?
— Le pauvre Raph, y'a même pas fini son number!

Soleil va entrer dans la conversation comme un coup de poing dans' face. Soudainement, tu vas te dire que t'étais peut-être chanceux de jaser seulement avec Forand.

— Y'était *tellement* cute sur scène! Pauvre lui!

Tu vas rouler les yeux, irrité. Elle arrêtera pas:

— Mais écoute, tu t'es bien rattrapé, Raph! La foule était de ton bord!

Tu vas prendre un instant pour la regarder. Elle va avoir quelque chose de très juvénile, tu vas trouver. Tu vas dire:

— Mais toi, mettons, euh, Soleil…
— Oui, Soleil.
— As-tu même l'âge de rentrer au Terminal ?

Elle va poser son index sur sa bouche et te faire signe de garder le silence, à la blague. Tu vas dire :

— T'as peut-être juste pas encore la maturité de pogner les blagues de grandes personnes.

Elle va éclater de rire et finir en grognant comme un cochon :

— Tu vois, *ça* c'est drôle !

Sam va arriver avec quatre shooters. En te voyant, il va secouer la tête :

— Oh, shit, j'avais oublié.
— C'pas comme si je parlais du fait que je bois pas à chaque minute, tu vas dire.
— Bon, ben ça en fait plus pour nous !, Soleil va dire.

Forand va se tourner vers Sam :

— Toi, bien été ?
— Relax, relax.
— Il était EXCELLENT !, Soleil va hurler.

Elle va être de plus en plus soûle : sa bouche va s'être ramollie et ses yeux vont avoir de plus en plus de mal à fixer le même point. Elle va se jeter au cou de Sam pour lui donner un bec.

— Je vais faire un boutte, tu vas dire. Après deux heures, à jeun de même, c'est… c'est moins ça.

— Tu peux nous lifter ?, Forand va dire. J'ai bu, je peux pas conduire.
— Ben… je peux, mais… eux autres, es-tu sûr qu'y veulent rentrer ?

Sam et Soleil vont être en train de frencher à pleine gueule, au milieu du bar. Forand va leur faire signe que c'est l'heure de partir. Ils vont arrêter de se frencher, mais vont rester enlacés un moment.

Sauf tout le mépris que tu vas avoir pour la fille, ça va te toucher de voir comment elle va regarder Sam. Elle sera pas capable de décrocher son regard de lui. Ses pupilles vont frémir d'admiration, presque.

Elle va regarder Sam comme on se regarde en ce moment. C'est ce qui va te venir en tête, en la voyant comme ça. Une petite boule de tristesse va se bloquer dans ta gorge. Mais ça ira : y a pas de meilleur endroit qu'un bar bondé pour cacher ça.

Ça va faire longtemps que t'as pas regardé une fille, qu'une fille t'aura pas regardé comme ça. On baise beaucoup moins, quand on arrête de boire. On oublie combien deux pintes peuvent donner ce qu'il faut de courage pour oser se rapprocher.

Sam et Soleil vont avoir bu beaucoup plus que deux pintes.

Ils vont vous suivre, toi et Forand, jusqu'à la rue. Forand va devenir plus directif, étrangement. Plus professionnel.

— Raph va vous déposer, il va dire.

— Bof, ça va, on va prendre un tax, Sam va dire en échangeant un regard complice avec Soleil.
— Non. Raph va vous déposer.

Tu vas jeter un regard vers Forand, qui va rester stoïque. Tu vas marcher vers ton char. Derrière toi, Forand lâchera pas Soleil et Sam des yeux. Il va les aider à monter sur la banquette arrière et s'installer côté passager. Une fois installé, tu vas dire :

— On s'en va où ?
— Moi j'habite sur la Rive-Sud, Soleil va dire avec un soupçon de honte.

Évidemment qu'elle va habiter chez ses parents à Saint-Bruno. Sam va dire, avec un soupçon de fierté :

— Mais on s'en va pas sur la Rive-Sud, là !

Soleil va ricaner :

— Ouais, je…
— Soleil s'en vient chez nous pour un dernier verre.

Forand va faire un oui de la tête, comme pour lui-même, les lèvres pincées. Après un temps, il va dire :

— Mais Raph peut vraiment aller te porter chez toi.
— Quoi ?
— Raph peut aller te porter chez toi si tu veux. Au pire si tu changes d'idée en chemin c'est pas grave. Raph a pas bu.

T'oseras pas regarder Forand. Quelque chose d'insistant dans son ton va te faire presque peur.

— Donc…

Dans le rétroviseur, tu vas voir que Sam va avoir glissé sa main dans la brassière de la petite.

— … On s'en va chez Sam ?
— Je suis plus proche, Forand va dire. Dépose-moi avant.

Tu vas fixer la route en silence. Les monticules de neige, de chaque côté de la rue, vont défiler lentement.

Tu vas avoir envie de boire. Tu vas tellement avoir envie de boire.

Tu vas arriver chez Forand. En ouvrant la portière, il va dire :

— Soleil, prends le numéro de Raph.
— Quoi ?
— Prends son numéro.
— Pour ?
— Si jamais tu changes d'idée, Raph va venir te ramasser pis te déposer chez vous. Aucun problème pour lui, y'a pas bu.
— Mais pourquoi je changerais d'idée ?

Forand va t'envoyer un regard qui va t'enlever toute envie de poser une question. Tu vas dire ton numéro à Soleil, qui va l'entrer dans son téléphone avec beaucoup de mal.

Tu comprendras rien. Forand va dire, en sortant :

— Merci, Raph. Bonne soirée, Sam. Bonne soirée, Soleil.

En te dirigeant vers chez Sam, tu vas réaliser que ça aurait eu pas mal plus de sens de passer par là avant d'aller chez Forand. Forand va s'être arrangé pour débarquer le premier.

En arrivant devant chez Sam, lui et Soleil vont pratiquement débouler hors du char et tituber jusqu'à la porte d'entrée. Ils vont t'envoyer la main et crier un gros :

— MERCI !

Tu vas les voir s'embrasser devant la porte de Sam avant d'entrer.

À ton réveil, tu vas avoir six appels manqués du même numéro et un message vocal. Quand tu vas rappeler, tu vas tomber sur une boîte vocale. La voix de Soleil, pétillante, va te répondre :

— Salut, c'est Soleil ! Laissez-moi pas de message, textez-moi à la place !

La foule s'est éclaircie, un peu, et il y a moins de gens en train de danser. La majorité des invités se sont ramassés en tapon dans la cuisine, en train de fumer des joints et des clopes sous la hotte. On s'est écrasés sur le divan pour continuer de jaser. Je suis en train de te montrer des photos de mon voyage en Islande (celles que j'ai pas mises en ligne, parce que toutes celles qui existent sur les réseaux, tu les as vues, évidemment).

On est assis un à côté de l'autre. Nos épaules se touchent. Une petite portion du genou, aussi. T'as pas débandé depuis une heure.

Dans le tapon de gens dans la cuisine, un gros fracas fait se retourner tout le monde : une bouteille de bière se brise et se répand au sol. Une fille que tu connais pas, assez jeune, debout au milieu de la cuisine, titube pour éviter le dégât avant de se mettre à pleurer :

— Je suis tellement désolée, guys, je voulais pas !

Sam la prend par les épaules et l'amène vers le salon pour l'éloigner du dégât pendant qu'André, qui a pas arrêté de faire de la poudre de la soirée, est heureux d'avoir un projet à gérer et fait évacuer tout le monde de la cuisine pour ramasser les morceaux de verre et mopper.

— Hey, tout est chill, là ! C'est juste une bière !

La fille renifle, fait oui de la tête, incertaine.

— Okay, merci. T'es fin.

Elena Miller arrive derrière Sam et le tasse en le prenant par l'épaule :

— C'est bon, Sam. Je vais m'occuper d'elle.
— Non, c'est chill.
— Non, Sam. Je m'en occupe.

Le ton d'Elena est devenu très tranchant. Sam sourit, dépassé :

— Pourquoi t'es aussi agressive ?
— Je suis pas agressive, Sam, je veux juste te dire que tout est beau, je m'en occupe, je vais la mettre dans un taxi.
— Mais on allait rentrer ensemble.
— Regarde, vous ferez ça une autre fois, elle est pas en état en ce moment—

La fille regarde Elena, puis Sam, puis Elena, et dit :

— Mais tout est chill, là.

Elle a l'air complètement arrachée. Sam dit :

— On était sur le *point* de partir !

Elena croise les bras, excédée :

— Crisses-y patience, Sam. Je sais pas quoi te dire d'autre.
— Pour vrai, t'es complètement hystérique.

Tu tournes les yeux vers moi, mal à l'aise, et tu dis :

— On fait-tu un bout ?

— Raphaël, on est standby une heure environ!

La régisseuse va avoir cogné sur le cadre de la porte pour attirer ton attention. Thomas et toi, vous allez vous être retournés pour la regarder. Elle va ajouter:

— Pis Sam aimerait que tu passes le voir dans sa loge.
— Là, là? C'parce qu'on a une situation.

La régisseuse va repartir en haussant les épaules. Thomas, ses AirPods dans les oreilles, va reposer son regard sur le plafond et reprendre sa conversation au téléphone:

— Je viens de t'envoyer ses mensurations, si t'as quelque chose, n'importe quoi qui fait un peu habillé pis que tu peux m'apporter dans…

Thomas va se retourner vers toi et murmurer:

— Combien de temps elle vient de dire?
— Une heure.

Il va se lever vers le panier de craft, prendre une pomme, la croquer, continuer sa conversation en faisant les cent pas dans la loge:

— Le gala commence dans une heure, Raph s'est fait fourrer sur le pacing, ils l'ont mis premier, donc il va être sur scène dans peut-être une heure et quart, et vingt.

Si tu peux prendre des photos de ce que t'amènes pis m'envoyer ça, je vais déjà faire approuver par la costumière pis le metteur en scène. Mm-hm. Mm-hm. Je sais. Le plus simple ça va être de venir en taxi, ça va t'éviter le trouble avec le parking. Garde la facture, évidemment. Je t'en dois une grosse, Jen.

Thomas va raccrocher et échapper un soupir excédé.

— Les maux de dos que je vais avoir à force de me plier en quatre pour faire la job à' place du monde incompétent, t'as pas idée.

Un autre cognement à la porte. Une hipster à l'air ennuyé va s'accoter dans le cadre.

— Salut. La coordo m'a dit qu'il fallait que je passe ?

Thomas va se retourner vers elle :

— T'es qui ?
— Héloïse. Je suis la costumière.
— Ah, c'est toi, ça ? On a un problème. Raphaël, debout. Mets ton veston.

Tu vas obéir sans dire un mot. La costumière, Héloïse, tu vas l'avoir croisée qu'une fois, elle va t'avoir proposé un complet pied-de-poule pour te mettre raccord avec l'esthétique plus habillée du gala de Sam.

— Y a un problème avec le veston ?
— Ça *vibre*, Thomas va dire sur un ton tranchant.
— Ça vibre ?
— À l'écran. Ça vibre. Là on va pas rentrer dans les théories d'optique à soir, ma belle, mais tout ce que t'as à savoir c'est que le pied-de-poule c'est ben cute mais le

petit motif ça vibre tellement à l'écran qu'on dirait que Raph est en train d'envoyer des messages codés avec son suit. Évidemment qu'on le voit pas ici, mais pendant la répète j'ai regardé sur le moniteur pis ça vibrait comme t'auras jamais vu un complet vibrer.
— Okay.
— Pis là, je me dis, c'est peut-être juste le moniteur, faque j'ai demandé au réal pis lui y'a fait le saut aussi. Y dit qu'y peut pas envoyer de quoi de même en broadcast, ça sera pas regardable.
— Parce que ça vibre trop.
— Oui. Faque je suis allé voir le producteur pis le producteur a regardé ça pis y'a dit que comme de toute façon y'a des numéros à couper dans le gala pour que ça rentre dans la case télé, c'est sûr que si c'est laid à l'écran, le numéro saute.
— Okay. Écoute, je peux voir ce qu'on a—
— Regarde, on est à une heure du show, je vais pas te faire travailler pour rien, la styliste de Raph est en route avec une couple de morceaux—
— Mais y'a une esthétique à respecter quand même—
— J'en va avoir des morceaux pis tu vas pouvoir choisir
— Pis c'est pas juste moi, faut que le metteur en scène approuve aussi, ce kit-là est choisi depuis deux semaines—

Thomas va perdre patience et lever le ton d'un petit décibel :

— Héloïse. C'est Héloïse, ton nom ?
— Oui.
— Sauf tout le respect que j'ai pour ton travail, le public est pas venu pour regarder comment les humoristes se sont grimés. Sont venus pour écouter leurs jokes. Faque

là tu vas me laisser faire ma job pis m'arranger pour que mon artiste se fasse pas couper du montage du gala. Okay ?

La costumière va rouler les yeux et remonter ses barniques sur l'arche de son nez.

— All right. Mais faut faire approuver.
— Je vais avoir les photos dans une couple de minutes, tu vas pouvoir approuver comme t'as jamais approuvé dans ta vie. Pis en passant, rien de tout ça serait arrivé si t'avais fait ta job comme du monde pour commencer.

Héloïse va soupirer et continuer son chemin dans le corridor des loges avec un soupir d'adolescente excédée. En la regardant partir, Thomas va secouer la tête :

— Voyons, tabarnak, on se croirait à Cégeps en spectacle.

Il va se retourner vers toi et te frotter les épaules.

— Mais tout est sous contrôle, mon beau.
— Pense pas qu'on aurait ce genre de problème là si j'avais été l'animateur, hein ?

Thomas va secouer la tête :

— Bon. Veux-tu *vraiment* animer un gala ?
— Ben oui !
— Non, là, en ce moment, tu te concentres sur ton deuxième show. T'as pas le temps de t'épivarder partout. Pis chiale pas, t'as quand même eu l'article de *La Presse* avec Sam. T'as eu presque autant de coverage que l'animateur, personne d'autre a eu ça.

C'est vrai que l'article qui va être paru la veille dans *La Presse* va être pas pire. Le journaliste va avoir retracé vos parcours depuis l'École. Il va vous avoir présentés comme le duo d'enfants terribles de la relève de l'humour québécois.

— C'est le show, la priorité, en ce moment, Raph.
— Parce qu'il est pas prêt.
— Exact.
— Parce qu'il manque de quoi.
— J'ai pas dit ça.
— Daniel est pas content.
— Raph, c'est un processus, tu le sais—
— C'est juste que le processus est crissement plus lent pis inefficace que pour le premier.
— T'as des bons numéros, quand même.
— Ouais. Ce que j'ai écrit avant d'arrêter de boire.

Thomas va venir s'asseoir à côté de toi.

— Raph. On en a parlé. C'est pour le mieux.
— T'en connais combien, des humoristes qui sont sobres ?
— Après un bout ça va juste devenir une seconde nature.
— Après un bout ? Après combien de temps ? Ça fait six mois !
— Tu vas voir, on s'habitue !
— Qu'est-ce t'en sais, Thomas ? T'as-tu essayé, toi, d'arrêter de boire juste deux minutes ?
— Veux-tu revenir à ce que c'était avant ?

Tu vas tourner les yeux vers le grand miroir de la loge. C'est vrai qu'il va être cute, le complet pied-de-poule. Et tu vas presque avoir une belle shape, dedans. T'auras pas de bourrelets qui débordent de la chemise. Tu vas poser les loafers en cuir trouvés par Héloïse sur le comptoir et renverser ta tête vers l'arrière en soupirant. Une sensation de porc qui s'en va à l'abattoir.

— Thom !

Tu vas voir, à l'envers, Jen entrer en trombe dans la loge, les bras chargés de housses à linge.

— Jen, t'as pas idée à quel point tu nous sauves le cul.

Jen va poser les yeux sur ton veston et dire, en te caressant l'épaule :

— Voyons donc, c'était sûr que ça allait pas passer à la télé, cette affaire-là, c'est costume design one-oh-one !

Héloïse va repasser dans le corridor à ce moment précis. Tu vas la voir presser le pas. Thomas va fermer la porte.

— So ! J'ai trouvé une couple de trucs, le plus beau c'est ce complet-là, en laine noire.

Elle va dézipper une housse et en sortir un veston très simple, un peu luisant.

— C'est un 32, par exemple. Mais sinon j'ai d'autres options.
— Faut qu'y soit confortable, Thomas va dire.
— Ils pouvaient pas juste nous habiller normalement ?, tu vas dire.
— Baby, si on vous laisse vous habiller comme vous voulez, vous allez monter sur scène avec des shorts carreautés, Jen va dire avec un petit gloussement. On peut pas vous faire confiance.

Elle va te tendre le pantalon :

— Veux-tu qu'on sorte ?
— Non, c'est bon.

Tu vas rapidement sortir de ton complet pied-de-poule et enfiler ce que Jen a apporté. Thomas va te regarder dans le miroir, l'air satisfait :

— Pis tu respires bien ? T'es confortable ?
— Ouais, tu vas dire.
— Bon, ben je vais mettre tes mensurations à jour. T'es rendu un 32, pas un 34. C'est fou ce qu'on peut perdre en coupant l'alcool.

La régisseuse va venir cogner dans la porte à nouveau et entrouvrir :

— Raph, es-tu allé voir Sam ?
— Ah, shit, non. Sa loge est où, donc ?
— Attends, je t'amène.

Son rythme de marche va être presque un jog. Elle va avancer dans les labyrinthes de couloirs, son iPad en main, en jetant un œil sur tout ce qui va croiser son chemin. Elle va lancer rapidement, en croisant un technicien :

— Jonathan, t'oublies pas qu'on avait un raccord de harnais de prévu à dix-huit heures quarante-cinq ?
— C'est bon !

Elle va se retourner vers toi en disant :

— C'est pas ton costume, ça, non ?
— Longue histoire, mais oui.

Elle va froncer les sourcils, mais posera pas plus de questions. Vous allez croiser un écran où vous verrez une prise de vue de la scène, lumières de travail allumées, avec des techniciens en train d'accrocher un spot au grid. Tu vas sentir ton cœur pomper, rendu en haut. Elle va finalement t'amener vers la loge de Sam, cogner, puis entrer. Un des scripteurs de Sam va être en train de réviser des cartons avec lui :

— Pis le gag juste après l'histoire du petit chien qui zigne, je pense qu'on peut le skipper, ça a jamais levé cette affaire-là. Pour les animations, tiens, les cartons sont ici si tu veux les réviser, j'ai rentré les corrections que tu m'as demandées, si t'as d'autres demandes je peux remettre ça dans le télésouffleur.

Sa loge va faire deux fois la taille de la tienne. Il va y avoir un énorme fauteuil en cuir et un vrai craft chaud, pas juste des barres tendres et des sandwichs pas de croûte. Derrière eux, une habilleuse va être à genoux, en train de faire une retouche sur l'arrière de sa chemise. Accoté sur le comptoir, le metteur en scène va être en train de réviser des notes dans un cahier à côté du producteur qui va hocher la tête :

— Non, ça c'est trop chenu, ça va faire cheap, manque de texture, je veux que tu descendes le tulle—
— Est-ce qu'on est sûrs que ça va être correct avec la façon que l'éclairage est focusé ? On n'a pas de temps pour un raccord—

La régisseuse va l'interrompre :

— Pardon, j'aurais une appro costume ici pour Raph Massi.

Le producteur et le metteur en scène vont lever la tête vers toi avec des yeux de méné mort. Ils vont dire en même temps :

— C'est ben beau.

Ils vont tout de suite baisser les yeux vers le cahier de notes.

— Raph !

Sam va lever les yeux de ses cartons et te saluer de la main, figé sur place à cause de l'habilleuse derrière lui.

— Tu voulais me parler ?
— Ouais ! Tout est beau pour toi, man ?
— Oh, moi j'ai presque rien à faire, hein. Ma face est pas sur l'affiche, je suis là huit minutes pis je me flex après.

Sam va forcer un sourire. Tu vas le sentir stressé :

— Pis tu vas faire une super job, j'ai même pas peur.
— Toi, t'es good ?
— Il me reste encore une couple de minutes pour badtriper.
— Si tu fais ton ouverture comme l'autre soir au Bordel, t'as rien à craindre, man.

Ça va avoir été correct, selon toi : un numéro bon enfant, sympathique, rassembleur, sur les invraisemblances dans le cinéma de notre enfance. Des blagues de *Maman, j'ai raté l'avion !* et de Tobby le golden retriever qui joue au basket. Rien qui réinvente la roue. Mais pour un public qui a payé quatre-vingt-dix piasses le billet, qui veut en avoir pour son argent et qui travaillera donc très fort pour en retirer une bonne expérience, ça va aller. Et Sam, tu vas devoir lui accorder ça, il va avoir nettement amélioré son delivery : il va s'être détendu, va moins crier, parler moins vite. Il va être plus relax. Il va dire :

— Merci. L'équipe a travaillé pas pire fort, je pense que ça va être bon. Je suis content que t'aies accepté de faire le show, hein.

Un mauvais pressentiment va se profiler dans ton ventre. Trop de small talk dans un moment où il va avoir clairement autre chose à faire.

— Je voulais t'en parler avant…
— De ?
— … mais avec le rush du show, t'sais, j'ai pas eu le temps.
— Quoi ?
— Je voulais pas que tu fasses trop le saut, à soir.
— Pour ?
— Ça se pourrait que tu croises Laurie à soir. Au party après.

Un saut dans un lac glacé. Le froid qui coupe ta respiration.

— Ah.
— Je l'ai invitée au show de neuf heures et demie.
— Pour ?

Un silence. Les yeux de Sam qui glissent vers le sol.

— Je t'en aurais pas parlé, normalement.
— De ?
— Je veux dire, c'est pas 100 % sûr.
— Quoi ?

— Je veux dire, pas encore.
— De quoi ?
— Laurie va travailler sur mon prochain show.
— Comme scripteuse ?
— Ouais. Mais je me suis dit que c'était mieux que tu l'apprennes par moi, plutôt que de juste, t'sais, le voir, ou que quelqu'un te le dise.

Un tressaillement dans le ton de Sam va trahir sa réelle intention : non pas de te préserver, mais de s'assurer que t'es pas en furie contre lui. Tu vas échanger un regard avec l'habilleuse encore à genoux derrière lui. Il va continuer :

— On pourra en parler, hein. Quand ça sera le bon moment.

T'arriveras pas à desserrer les dents :

— Non. Non, pas besoin. Est-ce que c'est tout ?
— Oui. Je voulais juste être sûr d'être celui qui allait te le dire. Je sais que c'est pas le meilleur setting, mais…
— Ça va.
— Mais après le show, on se parle, Raph. On se parle si tu veux.
— Ben oui, Sam. On est des amis. On va se parler.
— C'est juste que Laurie est tellement bonne, man. Tu le sais. T'as travaillé avec. C'est une des meilleures. On s'est mis à pitcher des idées ensemble, pis on s'est juste dit *wow, pourquoi on a pas fait ça avant ?*
— Mm-hm.
— Anyway, c'est— ça fait tellement longtemps que—
— Oui. Ça serait con que je…
— Ouais.

Ça serait con que t'en veuilles à Sam pour ça. Mais faut pas sous-estimer ta connerie. Faudra jamais sous-estimer ta connerie. Parce que la seule façon que tu vas avoir trouvée, pour aller mieux, ça va avoir été de m'effacer de l'existence.

Sam va le savoir, ça. Il va savoir que la simple mention d'un élément qui peut être relié à moi, même indirectement, tu vas t'en servir pour te flageller pendant des jours.

Sam va savoir. Tu verras pas comment Sam aurait pu faire ça innocemment.

Tu vas quitter la loge avec un sourire crispé, en perdant conscience de ton environnement. Tu vas marcher comme un zombie dans les corridors du théâtre. Tu vas accrocher une assistante de prod et ça te traversera pas l'esprit de t'excuser.

Jen va être en train de ramasser ses tas de housses et de se préparer à partir quand tu vas arriver. Tu vas te diriger en ligne droite vers le frigo de ta loge et en sortir une Boréale IPA.

Elle va être froide et elle va être douce. Ça va goûter les fruits et le pain et ça va laisser une amertume beaucoup moins grande que celle qui va te rouler dans la bouche depuis que tu vas avoir quitté la loge de Sam.

Thomas va te fixer avec un regard désemparé. Tu vas caler ta bière en le regardant dans les yeux, lâcher un grand rot et dire :

— Tu dis un câlice de mot, pis je m'en vais chez Forand.

Ça va avoir pris seulement trois bières pour que tu retrouves l'envie d'être sur scène. Tu vas les avoir bues tout seul dans ta loge après que Thomas sera parti s'installer dans la salle.

Quand tu vas être en coulisse, à attendre ton tour en regardant Sam sur scène, ton pouls augmentera pas. Ta respiration va être contrôlée. Tu vas t'imaginer entrer tout de suite sur scène, interrompre l'ouverture de Sam. Le voir confus, à se demander pourquoi t'as devancé ton entrée. Lui envoyer ton poing au visage. Le voir saigner du nez, replié sur lui, devant deux mille personnes. Saisir sa tête et lui envoyer ton genou dessus. Fort. Le voir cracher ses dents vers le public, la gueule en sang.

Ça t'apaisera beaucoup.

— C'est un de mes meilleurs chums, on se suit depuis l'École, ben en fait c'est plus lui qui me suit pis moi je dis rien parce que son casting de pouilleux m'a toujours fait un peu peur… Il est pas très propre de sa personne mais mon Dieu qu'il me fait rire : faites du bruit pour Raph Massi !

Tu vas entrer sur scène gorgé de big dick energy. Tu vas marcher lentement jusqu'au centre de l'espace. Tes pas vont être souples et solides. Tu vas prendre le plancher. Ta peau va boire toute la lumière. Tu vas prendre un moment pour jauger la salle, donner l'impression à chaque membre du public que tu le regardes dans les yeux, lui et lui seul.

— I'm back, bitches.

Tu sauras pas pourquoi t'as dit ça, et le public non plus, mais tout le monde va éclater de rire en même temps. Toute la salle va te suivre tout au long du numéro. Home run.

Tu vas rester enfermé dans ta loge jusqu'à la deuxième représentation. Ton numéro va lander encore mieux, si c'est possible, la deuxième fois. T'auras pas imaginé frapper Sam pour te donner du courage, cette fois-là. Non. Tu vas t'être imaginé me cracher au visage.

Tu vas quitter la Place des Arts tout de suite après, sans attendre la fin du show. Tu vas savoir que ça sera une meilleure idée de pas t'imposer ma présence.

Mais tu vas quand même vouloir maintenir ton ébriété. Faire le party. Tu vas t'asseoir à une terrasse pour touristes dans le Quartier latin pour descendre une pinte.

La bière de sortie de scène est toujours celle qui goûte le meilleur. Elle est une récompense. On a travaillé pour. On la mérite.

Une fille va te demander si elle peut prendre un selfie avec toi, sur la terrasse. Tu vas accepter. Elle va placer son visage à côté du tien et placer son téléphone à bout de bras. Tu vas déposer un bec sur sa joue. Ça va la faire rire.

Tu vas marcher vers chez toi. La lune va être pleine et la nuit va être douce et tu vas te sentir bien. Tu vas te sentir vraiment bien.

Quand l'effet de la bière va s'estomper, tu vas devoir chasser une image qui va s'imprimer lentement dans ton esprit: Sam et moi, derrière nos laptops, dans le chalet de ma tante. Sam et moi, nus.

Sam aura rien dit sur ça à proprement parler, mais tu vas te demander s'il aurait pu parler en code, ou adoucir certains éléments de l'histoire, pour te préserver.

Tu vas vouloir faire le party. T'arracher la gueule bien comme il faut.

Tu vas m'avoir souvent dit que Sam était pas particulièrement respectueux, ni gentil, avec les filles. Tu vas te demander si t'aurais dû me dire le contraire. Tu vas te demander si la meilleure façon de me garder loin de Sam aurait été de me dire que c'est un bon gars.

Tu vas te demander si Sam a fait exprès pour te garder loin de moi, après notre rupture, pour pouvoir avoir le champ libre.

Tu vas te demander si je t'ai trompé avec lui.

Tu vas te rappeler que ça va faire trois ans qu'on n'est plus ensemble, et que ça sera une réaction complètement immature, irrationnelle et conne d'être autant en colère. On se sera pas vus depuis un an. Tu sauras plus je suis qui et je saurai plus t'es qui, rendu là. Que Sam soit avec moi ou une autre, ça devrait pas faire de différence. Et pourtant, ça fera une grosse différence.

Tu vas te rappeler que tu m'aimes encore.

Tu vas te détester. Tu vas beaucoup te détester.

Tu te rappelleras plus l'adresse exacte du dépanneur. Tu te souviendras juste qu'il est côté sud, sur Mont-Royal, quelque part entre le Terminal et le West Shefford. Tu vas avoir été complètement arraché, la dernière fois où tu vas y avoir été, alors ta mémoire sera pas parfaitement claire. Ça va faire quelques années, aussi. Y a des souvenirs qui s'estompent, avec le temps. Pas tous. Mais certains oui.

Tu sauras pas si y a des heures d'ouverture, des moments où il faut y aller plus que d'autres, un employé en particulier à qui s'adresser. Tu vas t'en foutre, parce que t'auras pas vraiment d'autre option.

La marche sera pas agréable. Le ciel va s'être couvert et il va s'être mis à pleuvoir à siaux. L'eau de la rue va presque déborder sur les trottoirs. Tu vas entendre le tonnerre gronder à intervalles réguliers, souvent près de toi. À chaque dépanneur que tu vas croiser, tu vas jeter un œil à l'intérieur, et tu vas te dire *non, non, pas lui*. Quand tu vas voir le bon dep, à trois coins de rue du Shefford, tu vas tout de suite savoir. Tu vas savoir parce que tu vas te rappeler que la dernière fois que tu y es allé, t'avais envie de te crisser dans le trafic.

Les clochettes de la porte d'entrée vont tinter, quand tu vas passer la porte. Tu vas rester immobile dans l'entrée. Tes vêtements trempés de bord en bord vont dégouliner par terre.

Le petit caissier va être là. Peut-être même habillé pareil. Comme s'il avait passé trois années en suspension, hors du temps, à t'attendre.

— J'ai déjà acheté des allumettes ici.

Il va être passé deux heures du matin quand tu vas voir flasher les gyrophares dans le rétroviseur.

Tu vas avoir passé une heure à boire chez vous en te faisant des tracks sur le comptoir. Tu vas avoir fini par t'ennuyer et tu vas avoir fait le ménage de l'appartement en tenant ta bière d'une main. Tu vas t'être assis devant ton MacBook pour lancer des idées pour un nouveau numéro. Tu vas avoir eu l'impression d'avoir un cerveau fonctionnel pour la première fois depuis très, très longtemps. Y a une raison pour laquelle les gens font de la poudre, dans la vie. Y a une raison.

Autour d'une heure, tu vas t'être tanné de virer en rond chez toi et tu vas avoir senti le besoin de sortir. Max Lap et André vont t'avoir texté qu'ils sont avec Sam, à Juste pour rire.

Tu vas pas oser leur demander si je suis là. Mais tu pourras pas non plus rester chez toi. L'idée d'être loin du party va toujours t'avoir travaillé, pendant ta sobriété, tu vas toujours t'être senti rejeté, tu vas avoir toujours gardé cette pulsion qui te tire vers la fête. Tu vas avoir été capable de la retenir. Mais après dix bières et un quart de poudre, tu seras pas capable de te retenir de grand-chose.

Je sais pas combien de temps on reste encore, Max Lap va t'avoir écrit.

Au pire je serai là dans 20 minutes, tu vas répondre.

Tu vas t'être dit que c'était une mauvaise idée, que tu risquais de me croiser et de faire comme aux Olivier, version 2.0, ou de croiser Sam et de lui péter un plomb, ou de lui péter la gueule, et de passer pour le dernier des cons. Mais ça aura pas tellement d'effet sur tes actions : tu vas sortir de chez toi, descendre vers ta voiture, prendre le volant. Rouler vers le centre-ville.

Tu vas te dire qu'il faut que tu conduises lentement pour pas attirer l'attention. Ne pas faire de mouvement brusque.

Il va être passé deux heures du matin quand tu vas voir flasher les gyrophares dans le rétroviseur.

Tu vas compter trois secondes en espérant que les gyrophares te concernent pas, que les policiers roulent dans ta direction simplement par hasard, qu'ils vont accélérer et te dépasser, mais l'auto-patrouille va venir te coller au cul.

Tu vas être sur Mont-Royal. Tu comprendras pas pourquoi t'es sur Mont-Royal alors que tu te rendais au centre-ville.

Tu vas rouler un coin de rue de plus, juste pour être certain qu'il y a pas de malentendu. Juste au cas. Tu vas entendre la sirène crier, derrière.

Tu vas te dire qu'il peut rien arriver de grave.

Tu vas te ranger très méticuleusement. Avec soin. Pour montrer que t'es en pleine possession de tes moyens. Un gars qui est capable de faire un parking parallèle impeccable ne se ferait pas demander de souffler dans la balloune.

La policière va s'approcher de toi lentement. Cogner sur ta vitre. Tu vas descendre la vitre et sourire comme un enfant de chœur.

— Où est-ce que vous allez, comme ça ?
— Au travail.
— Au travail ?
— Un événement relié au travail, oui.
— Vous faites quoi pour travailler tard de même ?
— Je suis humoriste.

Elle va froncer les sourcils. Elle va allumer sa lampe de poche et la pointer vers ton visage. En voyant ton visage, elle va hésiter. Elle va jeter un regard vers son collègue dans l'auto-patrouille, derrière.

— Est-ce que je pourrais voir vos papiers ?

Tu vas ouvrir ton coffre à gants. Tu vas chercher quinze bonnes secondes dans les vieux sacs de McDo et les reçus de station d'essence avant de trouver les papiers d'enregistrement. La policière va les lire, l'air soucieux.

— Attendez ici un instant, s'il vous plaît.

Tu vas évaluer tes options. J'aimerais te dire que tu vas pas considérer l'option de sortir de ton char en courant et de disparaître dans la nuit, mais ce serait mentir.

La policière va revenir, très lentement. Va se pencher vers toi. Dire :

— Je vais vous demander de sortir de votre véhicule, s'il vous plaît.

Tu vas fixer ton volant. Sensation de mort imminente.

— Monsieur Massicotte ?

Tu vas faire un oui de la tête très lent, poser la main sur la poignée, ouvrir la portière. Tu vas perdre pied en sortant. La policière va te rattraper par le bras.

— Pouvez-vous me donner vos clés ?
— Ah, shit. Sont dans le char.

En voyant un groupe de kids te regarder avec un peu trop d'attention, tu vas avoir le réflexe de lever le capuchon de ton hoodie. La policière va se pencher dans la voiture pour récupérer tes clés dans le contact. Elle va lever la vitre et verrouiller les portières sur la clé.

— Venez avec moi, s'il vous plaît.

Tu vas l'accompagner. Elle va t'ouvrir la portière arrière, t'inviter à t'asseoir. Tu vas attacher ta ceinture et, en quelques secondes, tu vas t'endormir.

— C'est bien ici ?

Tu vas te réveiller quand l'auto-patrouille va s'arrêter devant chez toi.

— C'est pas ici que je m'en allais.
— Non, mais c'est chez vous ?

Tu vas faire oui de la tête, confus.

— Vous devriez rentrer, monsieur Massicotte.
— Vous pensez ?
— Ouais.

— Essayez de pas faire ça trop souvent. Ça pourrait être mauvais pour votre carrière.

Elle va te remettre tes clés et tes papiers d'enregistrement.

Le policier sur le siège passager va se retourner vers toi avant que tu sortes :

— J'aime ben ce que tu fais. Bonne soirée, là.

Tu vas te dire qu'il peut rien arriver de grave.

— Raph ?

Thomas va avoir été trop doux, au téléphone. Ça va t'avoir inquiété.

— T'es chez toi ?
— Oui.
— Peux-tu passer au bureau ?
— Live ?

Thomas va être au courant que tu passes tes semaines à te déplacer. Il va avoir réduit vos meetings en personne au minimum, parce que tu vas en avoir assez à l'agenda. Pour qu'il te fasse venir au bureau, faudra que quelque chose de grave soit au menu.

— Oui, si tu peux. Je vois dans ton agenda que t'as un meeting de brainstorm pour ta série à deux heures, ça nous laisserait le temps de luncher.
— Qu'est-ce qui se passe ?
— On s'en parle tantôt, okay ?
— Okay.
— Pis ferme ton téléphone, s'il te plaît.
— Quoi ?
— Si t'es capable. Éteins ton téléphone, okay ?

Tu vas avoir senti dans sa voix le désir d'être rassurant. L'intention aura été là, mais pas le résultat.

Juste avant de fermer ton téléphone, tu vas avoir reçu un appel de Sam.

Tu vas avoir regardé son nom longtemps, sur l'écran de ton iPhone, en te demandant quoi faire. Tu vas avoir eu d'autant plus envie de répondre que Thomas va te l'avoir interdit.

La décision va s'être prise pour toi : tu vas avoir hésité trop longtemps. Le nom de Sam va avoir disparu de l'écran.

Un souffle glacé va t'avoir parcouru la colonne. Il disparaîtra pas une fois que tu vas avoir fermé ton téléphone.

Hypervigilance. Tu vas avoir eu l'impression d'avoir été suivi, tu vas avoir eu peur qu'une voiture te fonce dedans sans avertir, qu'un sniper caché derrière les rideaux de la fenêtre d'un hôtel attende que tu passes dans sa mire pour te descendre.

Tu vas te dire qu'il peut rien arriver de grave.

Quand tu vas arriver au bureau de Thomas, ton t-shirt va être trempé de bord en bord. Son adjointe va t'accueillir avec un sourire nimbé de tristesse et va t'emmener vers la salle de conférence avec un *salut Raph* à l'air désolé.

Thomas va t'attendre dans le fauteuil avec deux salades du Mandy's devant lui. Il va se lever pour te serrer la main en forçant un sourire, mais tu vas tout de suite voir qu'il a des yeux de vache qui va mourir dans la nuit. Il va prendre une longue inspiration.

— Tu m'as pas demandé de venir ici pour des bonnes nouvelles, j'imagine.
— Non.
— Sur une échelle de un à la fucking fin du monde, on serait où ?

Il va prendre son iPad, déposé juste à côté de lui sur le sofa, et va te le donner.

— Ça va être plus simple si tu lis ça.

Ça sera un courriel.

Voici une liste non exhaustive colligée par des personnes du milieu ou proches du milieu québécois de l'humour. Les hommes dont le nom figure sur cette liste ont adopté un ou plusieurs des comportements répréhensibles nommés ci-dessous, et ils ont été dénoncés grâce à un témoignage direct.

Les gestes reprochés sont les suivants :

— *agression sexuelle*
— *grooming*
— *sollicitation de photos nues*
— *envoi de photos nues non sollicitées*
— *harcèlement sexuel*
— *harcèlement physique*
— *exposition de parties génitales*
— *contacts en ligne répétés non désirés*

Nous n'avons associé aucun comportement aux noms sur la liste, par souci de protéger les victimes courageuses qui ont osé prendre la parole. Si vous êtes lié d'une quelconque manière à ces individus, nous vous demandons, pour le bien de tous et de toutes, d'établir un plan avec des actions concrètes afin de démontrer que vous n'endossez en aucun cas les fautes citées plus haut.

Votre solidarité est essentielle pour que des actions radicales soient mises en place. Sachez toutefois que peu importe votre réponse à notre demande, nous allons continuer d'agir avec les étapes subséquentes de notre plan d'action, et ce, afin de nous assurer que la tolérance zéro envers les inconduites à caractère sexuel est définitive.

Sachez que d'autres noms seront dévoilés plus tard.

Puis, à la fin du courriel, il va y avoir une vingtaine de noms. Des gars. Tous des gars que tu connais. Dont celui de Samuel Bouvier.

— That's it?

Thomas va se tendre:

— Raph. C'est pas une joke.
— Okay. Pis t'as des raisons de penser que je mérite d'être sur cette liste-là?

Il va regarder au plafond, puis par la fenêtre, mal à l'aise:

— T'sais, vu que Sam l'est…
— Vu que Sam l'est, je suis coupable par association?

Il va forcer un petit rire nerveux:

— Non, non! C'est pas ça.
— Ben d'abord j'aimerais vraiment ça que tu m'expliques pourquoi tu m'as fait venir ici en me parlant

avec un ton à peu près aussi inquiétant que si t'allais m'annoncer que j'avais le cancer du cul.
— On sait pas ce que ce monde-là peut faire, Raph.
— Ce monde-là peut écrire des courriels. C'est tout ce qu'on sait en ce moment.
— Sam vient de se faire larguer par Forand.

Tu vas éclater de rire.

— Arrête de niaiser, Thom.
— Je suis sérieux. Sam vient de se faire crisser dehors. J'y ai parlé. TVA vient d'annuler sa série.
— Quoi ? Y a deux épisodes de diffusés !
— C'est ça.
— Mais ç'a même pas été confirmé par personne.
— Y a des journalistes qui sont sur le dossier en ce moment, apparemment.

Ton regard va se perdre sur la façade du bâtiment, en face. Un silence de quelques secondes. Tu vas murmurer, perdu dans ta tête :

— Tabarnak.
— Ouais.

Tu vas redéposer les yeux sur Thomas :

— Mais moi, je suis correct ?
— Je sais pas, Raph. Es-tu correct ?
— Je veux dire— je sais pas, moi.

Tu vas chercher ton air. Thomas, plus doucement, va dire :

— Est-ce qu'une fille, une fois, à un moment, aurait pu… ?

— Je sais-tu, moi ? Oui, non, tout est possible, je veux dire je peux même pas te raconter une baise que j'ai eue y a trois jours.

Thomas va se frotter les yeux.

— Est-ce qu'une fille t'a déjà accusé de quelque chose ?
— D'être un trou de cul. D'être un gros dégueulasse. Une couple de fois, oui. De l'avoir violée ? Non. Mais je sais pas, toi, dis-le-moi, t'as du recul. Est-ce que quelqu'un a déjà dit quequ' chose ?
— Tout le monde dit des affaires, Raph—
— Okay, faque le monde dit des affaires.
— Je— Rien de concret, rien que je sache, j'ai pas de nom ou de situation—
— Mais le monde parle.

Il va lever les yeux vers toi, plus grave, plus sérieux :

— Je— Oui.

Tu vas te lever et commencer à faire les cent pas. Tu vas perdre patience :

— Mais qu'est-ce tu connais à comment le monde fourre anyway ? T'es avec Sophie depuis, quoi, secondaire quatre ?
— Raph. C'est une opportunité.
— Une *opportunité* ?
— Si jamais quelqu'un devait— Je veux juste qu'on se prépare.
— Qu'on se prépare.
— J'ai mon avocate qui est en route.
— Une avocate ? Comment ça, une avocate ?
— De manière purement préventive.

— Mais j'ai mon meeting à deux heures !
— Je l'ai annulé.
— C'est moi le boss, Thom. C'est moi le boss.
— Je sais. Mais là je pense que t'es mieux de m'écouter.

Tu pourras pas t'empêcher de rallumer ton téléphone. Tu vas avoir reçu des textos d'André, de Max Lap, de beaucoup de monde. Tu vas avoir reçu un message vocal de Sam. Et plusieurs textos de Sam.

Raph j'imagine t'as vu ?
Le courriel ?
Je capote
Fuck
C'est qui la plotte qui a écrit ça ?
Ça se fait pas criss
Juste
Balancer des noms de même n'importe quel enfant d'école peut faire ça
Je comprends rien man
Je comprends fuckall
Il faut qu'on se parle man
Appelle-moi stp
Raph
Raph faut que tu m'appelles
Stp

— Je veux juste t'avertir, ça sera pas agréable. Mais j'ai besoin que tu sois complètement transparent avec moi. Okay ?

— Okay.

L'avocate va être arrivée une demi-heure après le début de ton meeting avec Thomas. Elle va t'avoir fait signer plusieurs documents qu'elle va t'avoir décrits, puis expliqués en long et en large, mais la comprendre va être un effort trop grand pour toi. Tu vas te contenter de sourire comme un idiot chaque fois qu'elle va te parler. Tu vas avoir du mal à rester concentré parce que tes yeux vont souvent croiser ceux de l'assistante de Thomas, de l'autre côté de la vitre. Elle va avoir l'air de suivre tout ça avec un intérêt morbide.

L'avocate va être très belle, d'une manière à laquelle tu seras pas exactement habitué : les filles professionnelles, avec une coupe de cheveux conservatrice et un tailleur bien pressé, t'habites pas le même univers qu'elles, t'interagis rarement, voire jamais avec elles.

À un autre moment, dans un autre contexte, t'aurais probablement essayé de soutenir un peu son regard, de la faire rire en brisant le moule du contexte rigide dans lequel vous vous trouvez. Mais là, elle va avoir complètement neutralisé ton unique pouvoir : elle va te forcer à être sérieux. T'es rien, quand t'es forcé d'être sérieux.

— J'aurais besoin qu'on dresse une liste de toutes les personnes avec qui t'as eu des contacts et qui pourraient potentiellement t'accuser d'un des comportements décrits dans la lettre.
— Ça serait pas mieux si je faisais ça avec un homme ?, tu vas demander.
— Pourquoi ?, elle va répondre.

Tu vas considérer un instant être honnête avec elle et lui dire que ce serait plus facile d'avouer à un homme que t'as été dégueulasse, mais tu vas te rappeler qu'on se sort rarement de ces situations-là en étant honnête.

Après un temps, elle va poursuivre :

— Si ça peut te rassurer, on a le privilège avocat-client qui te protège, en ce moment.

Tu te sentiras pas protégé.

— Okay, tu vas dire. Faque... toutes les filles, depuis le début ?
— Toutes les filles avec qui t'as eu des contacts qui pourraient correspondre à ce qui est décrit dans la lettre.

Thomas va se craquer bruyamment le cou. Ça va résonner dans toute la salle de conférence. Tu vas avoir peur pour sa moelle épinière. Tu vas dire, très sérieusement :

— C'est beaucoup de monde, ça.

Dans un autre contexte, t'aurais dit ça avec un autre ton complètement. Dans un autre contexte tu te serais vanté. Dans un autre contexte t'aurais gagné.

— On va aller chercher le maximum qu'on peut. On veut avoir un tour d'horizon le plus… clair possible, dans la limite de ce que les circonstances nous permettent.
— Les circonstances étant ?, tu vas demander.
— Ta capacité de te souvenir, l'avocate va répondre avec un sourire.

Tu vas prendre une inspiration tendue, tu vas dire :

— Par où on commence ?
— Est-ce qu'une personne serait déjà venue te voir en t'accusant d'avoir commis un de ces actes-là ?
— Non, jamais.
— Okay. On va passer la liste ligne par ligne, okay ? Juste voir si toi ça te sonnerait des cloches.
— Okay.
— Agression sexuelle, est-ce que vite de même, t'as une situation qui te vient en tête ?
— Non. Je pense pas. Mais…

Ça va passer dans ta tête comme un film en accéléré : une fille d'impro au cégep que t'as embrassée parce que t'étais certain qu'elle demandait que ça mais qui a répliqué en te giflant ; une fille avec qui tu couchais à l'École de l'humour qui te disait qu'elle aimait ça rough puis qui s'est mise à brailler quand tu l'as traitée de petite salope en la baisant, et qui a continué de pleurer pendant que tu te confondais en excuses ; toutes les filles avec qui tu vas coucher dans ta première année de célibat, qui seront toutes, sans exception, beaucoup trop soûles pour être capables d'un consentement éclairé.

— Je veux dire, pour que ça soit une agression sexuelle, est-ce qu'y faut que ça soit conscient de ma part ?

— Non, absolument pas.
— Ben d'abord ça veut dire que ça pourrait être toutes les filles avec qui j'ai couché.
— Non, Thomas va dire.

Les larmes vont te monter aux yeux. L'assistante de Thomas va être en train de te fixer, de l'autre bord de la vitre. Tu vas insister:

— Mais oui. Je veux dire, c'est pas comme si mon trip c'était de forcer des filles à, à— Mais est-ce que je me suis assis avec chacune des filles avec qui j'ai couché pour qu'on jase de ce qu'on veut? Je veux dire j'ai même pas fait ça une fois. Pis si on regarde tout ça après coup c'est sûr que—

Thomas va poser sa main sur ton avant-bras.

— On va se concentrer sur les situations évidentes, Raph.

L'avocate va regarder Thomas, qui va lui faire signe de continuer. Elle va dire:

— Grooming?
— Dans le sens de convaincre des jeunes filles, genre?
— C'est sujet à interprétation, mais oui.
— Non, je pense que la plus grosse différence d'âge que j'ai eue avec une fille, c'était genre cinq ans de moins que moi. Pis elle était majeure.
— Bien.

Ça va sonner presque maternel, comment elle va dire ça. Tu voudras rester poli, mais clairement, t'arriveras pas à cacher ton dégoût: ça va t'irriter, qu'elle se permette de qualifier ton comportement de bien ou de mal. En te voyant, elle va bégayer:

— Pardon, je voulais pas—
— C'est correct, tu vas dire.
— Aucun problème, Thomas va dire.
— Je suis pas là pour poser un jugement, je veux que ça soit clair, je suis uniquement en train de recueillir des faits. « Bien », ça se voulait une béquille conversationnelle, dans le contexte.

Tu vas la fixer avec une poker face pendant un quart de seconde avant de dire :

— Bien.

Elle pourra pas s'empêcher de rire. La tension va descendre d'un cran. Elle va se replonger dans son écran, se racler la gorge, puis reprendre un ton plus grave :

— Sollicitation de photos nues ?
— Ben oui. Mais… dans un contexte de cruise. Je veux dire, tout le monde fait ça, s'échanger des nudes. Non ?

Thomas détournera le regard dehors et passera nerveusement sa main sur son pantalon. L'avocate va noter quelque chose sur son clavier.

— Envoi de photos nues non sollicitées ?
— Non. Encore là, c'est arrivé, mais toujours dans un contexte d'échange.
— Okay.
— Harcèlement sexuel ?
— God, je sais pas. C'est large. Mais… je penserais pas, non. Je veux dire, j'ai pas pogné de seins ou de fesses sans avertir, je pense pas.
— Harcèlement physique ?
— Je penserais pas.

— Exposition de parties génitales ?
— Euh, ouais.

Un moment de tension. Les lèvres de Thomas vont se pincer.

— Mais t'sais, en joke. Entre boys, genre.

Tu vas te retourner vers Thomas :

— Même toi, Thomas !

Il va regarder l'avocate, très mal à l'aise, puis revenir vers toi, l'air de te dire de te fermer la gueule. Tu vas expliquer à l'avocate :

— Genre Thomas, Max Lap, Sam pis moi on avait un inside, à l'École — parce que Thomas était dans notre classe dans le temps, y'est humoriste de formation — faque anyway, quand on était dans une loge, Thomas, Max Lap, Sam pis moi, si y'en a un de nous qui était assis, l'autre arrivait derrière pis y déposait sa graine sur son épaule. Je dis pas que c'est édifiant, mais c'était vraiment une joke.
— Vous faisiez ça devant des filles ?
— Ben y'avait deux filles dans notre classe, faque ouais.
— C'est vrai qu'Elena haïssait ça, Thomas va dire. Quand on se sortait la graine.
— Voyons, crisse, tu vas dire. Elena a un sens de l'humour.

Thomas va te regarder sans rien dire, l'air de voir toute sa jeunesse défiler devant ses yeux. L'avocate va laisser passer un temps, vous regarder tous les deux, et reprendre :

— Contacts en ligne répétés non désirés ?
— Hmm... je penserais pas.
— As-tu déjà couvert des comportements comme ça ?
— Je suis pas certain de comprendre.
— As-tu déjà couvert des amis, des gens que tu connaissais, qui avaient des comportements comme ça ?
— Peut-être. Je veux dire, j'ai déjà couvert des amis qui trompaient leur blonde...

Y a un moment où on prend ces décisions-là. Y a un déclic, un instant, une parcelle d'instant, c'est vraiment court, où on calcule les éventualités, pis où on choisit.

— Mais y a Sam, c'est vrai.
— Sam ?, l'avocate va demander en levant les yeux de son écran.
— Samuel Bouvier.

Y a des fois où on sait qu'on devrait se sentir coupable. Des fois où on sait qu'on est petit. Mais ça fait tellement du bien.

— Je veux dire, je l'ai jamais couvert, pas vraiment, dans le sens qu'on n'a pas fait de plan pour cacher des cadavres, c'est pas des affaires de même, mais... t'sais Sam a quand même une réputation.

Ça fait tellement du bien pour toi.

— Une réputation... ?, l'avocate va demander, sur ses gardes.
— Sam fourre beaucoup. Pis t'sais, des fois, y'avait la réputation de...
— De ?

— Je sais pas, d'être rough. Dans le fond, je sais pas, t'sais, je parlais pas tant de cul avec lui. Mais le monde disait ça, t'sais. On pourrait, je sais pas... m'accuser d'avoir été ami avec, de l'avoir vu aller, peut-être.
— Mais est-ce qu'il y a une situation où t'as caché volontairement des choses ? Dit à une fille de se taire ? Menti pour couvrir quelque chose qu'il aurait fait ?
— Non, non. Mais des fois, j'avoue que j'y repense, pis... Est-ce que quelqu'un pourrait m'en avoir voulu de pas avoir levé un red flag, peut-être ? Si tu te lances dans un lac pis que quelqu'un te regarde faire en sachant que le lac est rempli de piranhas, est-ce que tu pourrais y en vouloir de pas te l'avoir dit ?

Le téléphone de Thomas va vibrer. Ça va cogner violemment contre la table de verre. En voyant l'écran, il va froncer les sourcils. Il va répondre :

— Oui ?

Ses yeux vont se poser sur toi. Un regard de mort.

— Non. Non, ça se pourra pas. Non. Non, malheureusement. Non plus. Non.

Il va poser son téléphone sur la table, face vers le bas, et se forcer à vous sourire. L'avocate va forcer un sourire, mal à l'aise.

— C'était qui ?, tu vas dire.
— Rien.
— C'était qui, Thom ?
— Raph.
— Thom. C'est moi. Le boss.

Il va soupirer, se frotter le visage.

— Le gars de *La Presse* qui a fait le bel article sur toi pis Sam. Gabriel Doré-Lapierre.
— Pour ?
— Il… Oh, Raph, pour vrai, c'est pas une bonne idée.
— Quoi ?
— Il veut te parler.
— À propos de quoi.
— C'est pas une bonne idée, l'avocate va dire.

Thomas va faire oui de la tête en la pointant :

— Écoute-la.

— Merci d'avoir pris le temps de me rencontrer.

Le journaliste va avoir proposé une entrevue téléphonique, mais tu vas avoir insisté pour faire ça en personne. T'es rien sans ton public.

Il va t'avoir rejoint au bureau de Thomas. Thomas va t'avoir laissé la salle de conférence. Il va avoir piqué une crise, mais tu vas lui avoir dit que tu sais ce que tu fais, que tu seras capable de t'en sortir. Il sera pas convaincu.

— C'est la moindre des choses.

Les journalistes, surtout les journalistes culturels, ils vont toujours te fasciner. Ça fait partie de leur description de tâche d'être à l'affût des dernières tendances, d'être branchés sur l'actualité, mais Gabriel Doré-Lapierre, comme beaucoup d'entre eux, va avoir l'air d'un comptable de Sorel. Il sera pas très à l'aise, socialement, mais il va avoir une bonne bouille. Il va dire :

— Ça doit être un drôle de moment, pour toi.
— C'est une façon de le dire.
— Bravo pour le gala de Samuel, en passant. T'as été très bon.
— Merci.
— C'est assez étrange de passer d'une entrevue de fond avec vous deux à… ça.

« Ça. » Il va patiner. T'arriveras pas à voir si c'est parce que tu l'intimides, s'il a peur de rentrer dans le vif, ou s'il est sur le point de te pousser dans les câbles.

Tu vas te contenter de lui sourire. Tu vas voir Thomas passer derrière lui, par la vitre de la salle de conférence. Il va être blanc comme un drap.

— Je t'avoue que j'aimerais mieux être en train de te parler de ton prochain show que de cette histoire-là.
— On pourra parler de mon prochain show un autre man'né.

Il va sourire, tendu. Il va sortir un carnet de son sac et déposer son téléphone sur la table.

— Je voulais te parler surtout pour valider certaines informations. Juste être certain qu'on est béton avant d'aller sous presse.
— Je comprends. T'as pas peur que mon témoignage soit biaisé ?
— Pour ça que j'essaye de varier mes sources. Est-ce que t'es prêt à commencer ?

Il va appuyer sur le bouton rouge du dictaphone, sur son téléphone.

— Okay. Ça roule.

Sa voix va onduler sur l'écran de son téléphone. Son ton va devenir juste un peu plus protocolaire.

— Peux-tu me parler de ta relation avec Samuel Bouvier ?
— On était dans la même classe, à l'École de l'humour.
— Dirais-tu que c'était ton ami ?

— Oui, oui.
— Vous avez continué de vous voir après l'École aussi ?
— Oui. On a travaillé ensemble beaucoup, on se croisait professionnellement, pis c'était un ami proche. C'est. Enfin. Je…

Il va prendre un air compatissant.

— Mais on se voyait moins, depuis un an.
— Pourquoi ?
— Ah, t'sais, la job, on était dans le jus pas mal. Pis moi vu que j'avais arrêté de boire, aussi, je sortais moins.
— Vous faisiez beaucoup le party ensemble ?

Tu vas réprimer un petit rire :

— Ouais, ben… ça fait un peu partie de la game.
— C'est-à-dire ?
— Oh, on se torchait en masse. Je veux dire, ça reste un mode de vie nocturne, faque…
— Votre consommation, ça ressemblait à quoi ?
— Ben, on buvait pas mal. Personne que je connais monte sur scène à jeun.
— Autre chose ?
— Sam avait un problème de cocaïne, aussi.
— Est-ce que t'as arrêté de boire pour une raison en particulier ?
— Oh, t'sais, les raisons habituelles. Perdre du poids. Des trucs de même.

Ton regard va dévier sur un des Olivier que tu vas avoir laissés sur l'étagère à trophées de Thomas.

— Sam, après une couple de verres, tu le décrirais comment ?

— Hmm. Sans filtre, je dirais.
— Okay. Est-ce qu'il avait des comportements problématiques qui ressortaient, mettons, quand il était soûl ?
— Définis « problématiques ».

Tu vas t'être permis de devenir plus frondeur, un instant. Comme quand tu prends un spectateur à partie, pour faire rire les autres. Mais là, y aura personne d'autre à faire rire, alors ça va être plus délicat. Mais le gars va sourire.

— Est-ce que Sam avait tendance à être insistant, avec les filles ?

Tu vas laisser ton regard dériver vers la fenêtre pour dire :

— Prends un gars qui a probablement toujours été un peu rejet au secondaire, pis qui tout d'un coup se fait dire par des milliers de personnes qu'il est extraordinaire, c'est sûr qu'un moment donné, ça se peut que le gars se pense vraiment, vraiment invincible.
— As-tu été témoin de situations en particulier qui te font dire ça ?
— Paraît que Forand aurait déjà acheté le silence de certaines victimes de ses artistes.
— Forand, le gérant de Samuel Bouvier ?
— Ouais.
— T'as des preuves de ça ?
— Moi non. Mais y'a une fille qui a déjà travaillé comme adjointe pour Forand qui pourrait te le confirmer. Laurie Blais. Oui. Sûrement qu'elle pourrait te confirmer ça, si t'arrivais à la joindre. Apparemment qu'elle aurait posté ça elle-même, par mandat-poste.

Tu vas le regarder griffonner des notes nerveusement, en tentant de suivre le fil. Tu le laisseras pas finir avant d'ajouter :

— Est-ce que t'as parlé à une fille qui s'appelle Soleil ?

Pris de court, il va baisser les yeux vers ses notes, puis les relever vers toi.

— Je— oui.

Il va faire danser ses doigts sur les pages de son carnet à rebours, cherchant d'autres notes qu'il aurait prises avant.

— Ça fait partie des choses que je voulais valider avec toi. Je— la fille— Soleil Dupras. Elle a dit que t'étais présent le soir où elle a rencontré Sam.
— Ouais. On était sur le lineup du Terminal, les deux, ce soir-là.
— Pis qu'est-ce que tu sais sur ce qui s'est passé entre les deux ?
— Rien, dans le fond, c'est ça le truc. Dans le sens où— si je savais *vraiment* que quelque chose s'était passé, j'aurais— t'sais j'aurais peut-être réagi, tu comprends ?
— Ouais, ouais. Mais est-ce qu'on peut reprendre du début, peut-être juste me raconter—
— T'sais en fait moi je les ai juste déposés en char, hein, rien d'autre, à part peut-être, à part peut-être…

Le gars va te regarder sortir ton téléphone de ta poche, fouiller dans tes vieux messages vocaux. Tu vas déposer ton téléphone sur la table entre vous deux, juste à côté du sien.

— À part peut-être ça.
— « Ça »… ?

Le haut-parleur de ton téléphone va cracher le grésillement désagréable d'un souffle un peu trop violent qui frappe un micro. Le souffle va reculer, puis ralentir. Quelque chose comme des sanglots. Puis :

— Pourquoi vous m'avez pas dit que votre ami c'était un malade mental ?

Le journaliste pourra rien faire d'autre que te fixer.

— Tu gardes toujours tes messages aussi longtemps ?
— Toujours. J'oublie rien.

Tu vas publier une story, le matin où l'article va sortir. Le texte va être passé par Thomas, l'avocate et une agence de relations publiques. Jamais un texte que tu vas avoir écrit aura été autant édité, vetté, calculé.

Salut. Comme tout le monde, je viens de lire l'article de La Presse *à propos de Samuel Bouvier. Comme tout le monde, je suis sur le cul. J'ai mis fin à toutes mes collaborations avec Samuel. Je veux m'excuser à toutes les victimes alléguées de Samuel. Samuel a été mon ami, pis j'aurais peut-être dû poser plus de questions pis le confronter. Y a pas beaucoup de monde qui ose poser des questions pis ça fait peut-être partie du problème. Faudrait que, collectivement, on arrête de se fermer les yeux quand on voit des comportements problématiques. Restez fortes. Je vous crois.*

Tu vas avoir plus de cent mille followers, à ce moment-là. Tu vas être reconnaissant que je t'aie poussé à créer du contenu web.

— J'ai de la sans alcool, du kombucha aussi.

Elena va être penchée dans le frigo. Cambrée, un peu. Ça va mettre son cul en valeur. Tu seras pas à l'aise de regarder. Tu vas baisser les yeux au sol.

Tu vas dire :

— Es-tu malade ? Donne-moi une bière.
— Je pensais que t'avais arrêté.
— Fait longtemps, ça.

Elle va se relever avec deux king cans de double IPA et fermer le frigo avec un coup de fesses. Elle va te tendre une bière :

— Santé.

Tu vas tirer sur la goupille de ta cannette et la cogner contre la sienne. Prendre un moment pour regarder les panneaux acoustiques sur les murs, les fausses plantes dans l'entrée. Le local va être rough, avec un plancher et des murs en béton qui s'effrite. Un feeling de shop, d'ancien temps. Elena va te surprendre à regarder :

— Dans le meilleur des mondes, on ferait ça dans mon sous-sol, mais je suis trop paresseuse pis cheap pour m'acheter du gear. C'est le local d'André, y s'est équipé pour son podcast pis y loue pour d'autres.

— C'est bien qu'y se soit réorienté.

Elena va te lancer un regard à la fois choqué et satisfait :

— Garde ça pour quand t'es on tape.
— Tu peux être certaine que je dirai pas ça on tape. J'adore André.
— Mais t'aimerais mieux qu'y se réoriente.
— L'humain ? Extraordinaire. L'humoriste ? Bwof.

Elle va hocher la tête, amusée, et te pointer ta chaise, devant la table du studio. Elle va aller s'asseoir devant toi, vos deux micros entre vous.

— Je suis contente de te voir, elle va dire. Fait un bout.
— Bah, t'sais, la job, hein.

T'aimes beaucoup Elena, tu vas toujours beaucoup aimer Elena. Elle est réconfortante, Elena, pour toi. Vous vous connaissez bien, vous vous appréciez, mais avec juste ce qu'il faut de distance pour pas vous détester.

— Contente de savoir que t'es pas rendu trop big pour visiter mon humble podcast.
— Tu le sais que je peux pas te dire non. Pis je trouve que c'est vraiment novateur comme concept, un podcast avec deux humoristes qui boivent de la bière en disant de la marde.
— Y a une twist. C'est deux humoristes qui boivent de la bière en disant de la marde, mais y a *une femme*. Ça, c'est vraiment du jamais vu.

Elena va se tourner vers le laptop à côté d'elle, se perdre dans l'écran quelques secondes avant de se retourner vers toi :

— Ça roule.

Sa voix va monter d'une octave et se mettre à pétiller :

— Comment tu vas, Raph ?
— On dirait que c'est comme pas la question à se poser en ce moment, hein ?

Elena va lever sa cannette vers toi. Tu vas l'imiter. Après un temps, elle va dire, en confidence aux auditeurs :

— Le silence que vous venez d'entendre, c'est le son de deux personnes qui sont pognées dans du sable mouvant.
— On commence où, Elena ?
— La question, c'est peut-être plus de savoir où ça s'arrête.

Tu vas laisser filtrer un *hmm* grave. Elle va poursuivre :

— First, je t'ai invité parce que je m'ennuyais de toi pis ça faisait longtemps qu'on s'est vus.
— Pis deuxièmement… what the fuck is going on ?

Elle va éclater de rire. Tu vas être fier de ta shot : Elena, tu connais ses déclencheurs. Tu sais comment la faire rire, tu vas continuer à la faire rire.

— Pour ceux qui le savent pas, Raph pis moi on était à l'École avec Sam Bouvier. Faque… c'est particulier, la vie, ce mois-ci, mettons.
— Particulier ? Je savais pas que t'étais rendue aussi politically correct, Elena.
— Okay, okay.

Elle va te regarder dans les yeux avec un air de défi:

— Tout ça, c'est de l'estie de marde. All right? Mais y a des petites parcelles de lumière pis j'aimerais qu'on s'accroche à ça.
— Comme quoi?
— Comme le fait qu'on a des alliés. Par exemple, du monde comme toi. T'sais, c'est super respectable de ta part de faire un effort pour essayer de regarder tous les angles de la situation. Je trouve que t'as été super courageux, de la manière que t'as géré ça.
— Ouais, mais évidemment, avec le recul, on regarde ça, pis on se dit *est-ce que j'aurais dû intervenir avant? Est-ce que j'ai laissé passer des affaires que j'aurais pas dû?*
— Mais ça, si on commence ça, on n'a pas fini, t'sais. Pis ça vaut aussi quand t'es une fille. T'sais, moi-même, des fois, je me trouve conne de pas avoir mis mes limites avec des gars. Faque après ça, intervenir sur une autre situation? Évidemment qu'on ose pas toujours.
— Ouais, t'as raison.
— Pis je t'avouerais que je suis tannée d'expliquer à des morons sur Internet que c'est pas correct de m'envoyer une dickpic en DM, ou de devoir dire à des gars de me lâcher le cul, faque si juste *une fois* de temps en temps c'est un gars qui prend l'initiative de mettre son pied à terre pis de dire que c'est assez, ça me donne une petite vacance pis je vais pas me plaindre de t'ça.

Elle va prendre une gorgée de sa bière. Regarder par la fenêtre, qui va donner sur le mont Royal et les lumières du centre-ville, un peu effacées par les nuages. Tu vas dire:

— J'ai repensé à une affaire, cette semaine. Je me disais que j'étais mauditement chanceux d'avoir passé mon secondaire à me faire traiter de tapette.

Elena va chantonner un petit *ohhh* compatissant. Tu vas continuer :

— Parce que j'imagine que ça m'a peut-être un peu préservé de, t'sais, toute cette culture-là, hein ? Parce que ça commence tôt, quand même, dans le vestiaire de hockey.
— Je te dirais que les patinoires d'impro sont pas pires de ce côté-là aussi.

Vous allez éclater de rire, tous les deux. Un rire jaune. Elena va ajouter :

— J'ai toutes sortes de noms qui me viennent en tête, tout d'un coup !

Ça va se poursuivre comme ça assez longtemps : Elena a beaucoup de qualités, mais elle a pas un bon esprit de synthèse. Tu vas surfer sur l'entrevue en dégageant le bon gars déçu de son ami et qui se range du côté des femmes, et ça va marcher. Ça va bien marcher.

Quand Elena va couper l'enregistrement, tu vas te sentir comme si t'avais couru un marathon.

— Est-ce que c'était correct ?, tu vas demander.
— C'était parfait, Raph. Tu le sais que c'est toujours parfait avec toi.
— All right. Je sais pas si tu voulais quelque chose de plus…

Tu vas hocher la tête, incapable de finir ta phrase, avant d'ajouter :

— Je sais pas ce que tu voulais pour ton show. Je sais pas si tu voulais que je sois repentant ou sur la défensive ou relax—

Elena va hocher la tête :

— Je voulais juste t'entendre toi.

Tu vas ramasser ton sac, te presser vers la sortie, stressé, tendu. Elena va demander :

— Tu pars déjà ?
— Ouais, je tourne demain tôt.
— Bonne soirée, là.

Elena va te faire la bise. Tu vas te demander s'il y aurait eu une possibilité que vous recouchiez ensemble. Tu vas t'éloigner d'elle, ouvrir la porte et, en te retournant vers Elena, juste avant de partir, tu vas lancer :

— T'as jamais eu de moments, avec moi, où tu dirais que, que c'est, que ça s'est mal passé, hein ?

Elle va laisser passer un temps, assez pour que tu te sentes forcé de la regarder. Elle va dire :

— Non. Mais je suis pas toutes les filles avec qui t'as couché, Raph.

Ils vont te faire entrer sur « Adieu », de Cœur de pirate.

Ça sera le début de la saison du beaujolais nouveau, et tu vas refuser le verre qu'on va t'offrir, quand tu vas venir t'installer sur le plateau.

— Je bois pas, merci, tu vas répondre poliment.

Évidemment que tu vas boire. Mais jamais en public. Dans tes devis techniques, en tournée, ça sera même précisé que tu veux pas qu'il y ait d'alcool dans ton frigo de loge. Tu vas voyager flasqué. Plus discret, comme ça. Ça va vendre l'idée du gars de party réformé. Les gens vont adorer ça.

Ça va être raccord avec ton deuxième show : tu vas vendre l'idée d'un gars plus mature, qui a traversé le désert et qui essaye de s'en remettre.

— Raphaël Massicotte, Guy A. Lepage va commencer, tu présentes dans deux semaines la première médiatique de ton tout nouveau one-man show, *Grave*. Avec ce spectacle-là, tu nous promets un humour plus sombre, plus introspectif, et plus grinçant. J'ai d'ailleurs vu un numéro assez choquant dans lequel tu parles de manière assez crue de la difficulté de parler de suicide avec un ami qui souffre de problèmes de santé mentale. Mais là, es-tu là pour nous faire rire, ou nous faire brailler ?

Un petit rire va parcourir l'assistance.

— Ben t'sais, y a-tu une place où c'est plus libérateur de rire qu'à des funérailles ?

Un sourire va fendre le visage de Lepage. Tu vas continuer :

— Ce show-là, c'est aussi le plaisir d'être volontairement dark, de jouer dans des zones un peu cruelles, qu'on se permet genre quand on a quatorze ans, mais qu'on perd quand on passe à l'âge adulte.
— Donc « mature », c'est de la fausse représentation ? Est-ce que tu nous promets des jokes de bébé mort ?

La salle va éclater de rire. La ministre de la Justice, de l'autre côté du plateau, sera pas capable de retenir un sourire avant de s'envoyer une grosse gorgée de vin.

— Faut ben que je vende des tickets !, tu vas lâcher.
— Raphaël, t'as connu un succès monstre depuis la sortie de ton premier show. T'as remporté trois Olivier à ta première participation au gala en carrière. Depuis, tu chômes pas : on t'a vu à la télé, on t'entend à la radio, tu continues à être actif sur ta page YouTube, où on t'a découvert... Comment tu vis avec ça, la pression du deuxième show ?
— Oh, très mal. C'est pour ça que je suis venu baisser vos attentes ce soir.

Ça va faire glousser Marie-Mai, assise à côté de toi.

— Mais sérieusement, ça serait malhonnête de ma part de me plaindre de la pression du deuxième show. Est-ce que je suis stressé ? Oui. Est-ce que j'aimerais mieux que le monde ait pas le goût de voir mon deuxième show parce qu'ils ont haï mon premier? Vraiment pas. Faque regardez, je fais de mon mieux, pis si vous aimez pas ça, donnez-moi votre adresse pis je vais aller chez vous personnellement pour lancer des œufs sur votre maison.

Un fou rire général.

— Raphaël, t'as été cité récemment dans un article de Gabriel Doré-Lapierre, publié dans *La Presse*, qui parle d'allégations d'inconduites sexuelles à l'endroit de Samuel Bouvier.
— Oui.

Tu vas pincer tes lèvres.

— L'article allègue que Samuel Bouvier aurait notamment eu des comportements déplacés à plusieurs reprises, allant jusqu'à des agressions sexuelles, et que sa boîte de gérance aurait payé des victimes afin qu'elles gardent le silence. Tu es cité, disant que t'étais pas surpris par les allégations, mais que t'étais tout de même choqué. Comment est-ce qu'on peut être choqué sans être surpris?

Tu vas inspirer longuement.

— Les rumeurs, c'est une drôle d'affaire. Je veux dire, on peut entendre tellement de choses, mais quand on les entend de l'homme qui a vu l'homme qui a vu l'ours, qu'est-ce qu'on est censé faire? Est-ce qu'on doit absolument se dissocier de quelqu'un sur qui on a entendu du mal? On n'a pas de mode d'emploi pour ces situations-là. Mais par contre, ce que je peux vous dire, c'est que dès que j'ai *vu* des gestes répréhensibles, j'ai pris mes distances avec Samuel.

Une suspension. Guy A. Lepage va ouvrir la bouche, mais tu le laisseras pas parler :

— Pis ce que je peux vous dire, c'est que c'était pas de gaieté de cœur. Sam, c'était un ami, c'est quelqu'un que je connais depuis longtemps. On laisse pas partir quelqu'un de même pour le fun. Mais un moment donné, je pense aussi que le milieu a peut-être été trop permissif, avec beaucoup de monde, pour plein de raisons : parce que le public aime l'artiste, parce que l'artiste est une machine à cash, parce qu'on veut pas croire les gens qui l'accusent. Pis j'ai probablement été coupable de ça, moi aussi : j'aurais sûrement dû m'éloigner de Sam ben avant. Pis je pense que les gens qui osent encore travailler avec lui, qui osent encore valider son travail, ont vraiment de sérieuses questions à se poser. Parce travailler avec lui, d'une certaine façon, c'est encourager ces comportements-là.

Tu vas m'imaginer assise devant ma télévision, en disant ça. Ça va te réchauffer le cœur.

Il va être tard. Tu vas tout juste revenir de Saint-Hyacinthe. Il va avoir plu sur toute la distance que t'auras eu à parcourir sur la 20. Tu vas avoir eu peur de t'endormir au volant une couple de fois.

Le show aura bien été. Ce show-là va toujours bien marcher, peu importe où tu vas le présenter.

Tu vas avoir l'esprit vide. Tu vas avoir réussi, depuis quelques mois, à habiter un monde lisse, impeccable, tapissé de beige à l'infini dans chaque direction, où flotter comme dans un épais liquide amniotique d'ennui. Un univers sans danger, sans surprise, sans rebondissement aucun, dans lequel tu pourras rien ressentir.

Il va encore pleuvoir à siaux quand tu vas marcher vers l'entrée de ton bloc. Un itinérant dans un imperméable dégoulinant de pluie va attendre, debout au milieu du hall d'entrée, devant le bureau du garde de sécurité. Il va y en avoir beaucoup, des itinérants, dans ton coin, mais ils te dérangeront pas tellement : les itinérants, ils ont pas de télé, alors ça va être beaucoup plus facile pour toi d'occuper le même espace qu'eux. Ils vont être moins irritants que les dames qui t'accrochent à l'épicerie pour lancer un commentaire qui se veut drôle et intelligent mais qui est ni l'un ni l'autre : une façon de dire *je sais que tu existes et, en te le signifiant, j'ai un peu l'impression d'exister moi aussi.*

Tu vas l'ignorer poliment, te diriger vers l'ascenseur. Le garde de sécurité va se lever de son bureau et dire :

— Y avait votre ami qui vous attendait, monsieur Massicotte. Je me suis dit que j'allais pas laisser un de vos collègues poireauter dehors avec le temps qu'y fait.

Tu vas te retourner. L'itinérant va baisser son capuchon. Ça va être Sam. Ou quelque chose qui ressemble à Sam. L'esquisse très floue des yeux de chien triste de Sam. Tu vas rester debout en silence, à contempler l'apparition. Tu vas te demander s'il est armé. Tu vas t'en vouloir de te le demander. Puis tu vas te dire que non, c'est pas si farfelu d'avoir pensé à ça. Tu vas regarder autour, voir si quelqu'un pourrait vous apercevoir. Tu vas calculer la probabilité que vous croisiez un voisin, dans le bloc, et la probabilité que ce voisin vous connaisse tous les deux. La probabilité que cette personne en parle, que ça circule, que tu deviennes coupable par association. Les chances vont te paraître assez minces.

— Est-ce qu'on peut se parler ?

Tu vas te contenter d'un oui de la tête, te retourner et avancer vers l'ascenseur. Le garde de sécurité va vous regarder partir, fasciné par Sam. Tu vas te demander si c'est possible qu'il ait absolument rien entendu ou lu sur Sam. Tu vas te demander s'il s'en crisse.

Les portes de l'ascenseur vont s'ouvrir devant vous. Tu vas jeter un dernier regard autour de toi avant d'y entrer, suivi de Sam. Une fois les portes fermées, il va dire :

— Je sais que j'ai l'air d'un malade, en ce moment. C'est juste…

Un reniflement. Sa mâchoire va tressaillir. Le bourdonnement de l'ascenseur va être réconfortant. Il va remplir quelques secondes de vide.

— Y a pus personne qui veut me parler. Y a pus personne qui répond à mes textes. C'est comme si j'tais mort pour tout le monde. Je suis juste… je suis fucking tout seul, man. C'est fin de me laisser monter.

Tu vas t'ennuyer de la stase parfaite de laquelle Sam va t'avoir tiré.

— Faisait combien de temps que t'attendais dans le hall de même ?
— Je sais pas. Mon cell est mort. Ça doit faire une heure, une heure et demie.

Quand les portes de l'ascenseur vont s'ouvrir, tu vas jeter un œil au corridor avant de t'y engager, par réflexe. Comme si t'étais en train de commettre un crime. Tu vas marcher rapidement, presque à la course. Comme si tu voulais semer Sam. Hurler, par ta démarche, que tu le connais pas.

Tu vas sentir ta pression sanguine diminuer quand tu vas franchir la porte de ton appartement.

Tu vas déposer ton sac, tes clés. Allumer les lumières. Sam va dire :

— C'est beau, chez vous.
— Bof, c'est pas comme si je l'avais construit, non plus.
— Ça fait très adulte.
— Un moment donné, on fait le tour de dormir sur un matelas pas de base pis de manger dans de la vaisselle en plastique du Village des Valeurs.

— Oui.
— Pis c'est un beau bloc. Bien situé. La vue est belle. Je suis bien, pour vrai.

Pas de stationnement souterrain, par contre : avec un stationnement souterrain, t'aurais pas eu à passer par le hall. T'aurais pas croisé Sam. Tu vas continuer :

— Faudrait que je prenne le temps de meubler, un peu. T'sais ce que c'est, avec la job. On dirait que, quand j'ai du temps off, j'ai pas nécessairement le goût de me lancer dans des projets d'aménagement.

Sam va émettre un grognement pour acquiescer. Tu vas dire :

— Es-tu encore dans Rosemont ?
— Non, non. J'ai vendu.

Tu vas attendre une précision de plus, peut-être une généralité sur le marché immobilier, *c'est fou les surenchères en ce moment*, quelque chose qui vous permettrait de prolonger la trêve pendant laquelle on parle de banalités. Tu vas avoir passé une bonne partie de ta vie à fuir le small talk, mais tu vas avoir réalisé, plus tard, que le small talk est une des choses qui te permettent de rester en vie. De fuir le profond. Le sérieux. Sans small talk, faudrait toujours plonger dans le deep. Ou pire : simplement garder le silence. Simplement garder le silence, toi t'en es pas capable. Tu vas en faire une carrière.

Mais Sam t'aidera pas :

— C'est les frais d'avocat. Ça m'a saigné, pis j'avais pus d'entrée d'argent, faque…

— Je comprends.
— Je pense pas que tu comprends, non.

Ça aura pas l'air d'une attaque. Ça sonnera factuel.

Il va y avoir un temps, puis, nerveusement, tu vas dire :

— Tu peux enlever ton coat, t'sais.
— Oui. Oui.

Il bougera pas.

— Veux-tu une bière ?
— Non… non. Je… je sors de rehab. Faque…

Tu vas en avoir entendu parler, entre les branches, évidemment. Jamais tu vas avoir posé la question, jamais tu vas volontairement essayer d'entendre parler de Sam, mais chaque fois qu'il va être question de lui, et plus particulièrement de ses malheurs, tu vas t'être fait un malin plaisir de tendre l'oreille. Tu vas dire :

— Ah. Ouais, je comprends. Je te feel.
— T'es allé en rehab ?
— Non. Mais j'ai arrêté de boire pendant un an, tu te rappelles ?
— Ah, ouais.
— Jamais autant mal feelé de toute ma vie. Faut pas faire ça.

Tu vas aller au frigo pour te sortir une grande cannette d'IPA. Elle va siffler fort, quand tu vas tirer sur la goupille. Tu vas prendre une grande gorgée.

— J'ai rien de vraiment intéressant sans alcool. Je peux te servir un verre d'eau.

— Non. Non, ça va.

Un flottement. Tu vas poursuivre :

— Je suis tellement devenu plate, quand j'étais sobre. J'étais tout le temps self-conscious.
— Ouais, je suis pareil.
— Je voudrais te dire que ça va aller en s'améliorant, mais ça serait une grosse menterie. T'en as pour combien de temps ?
— C'est censé être ça, ma vie, maintenant.
— Ah.
— Ouais.

Il va avoir maigri, tu vas remarquer. Mais pas de belle façon. Tu vas te sentir obligé de faire la conversation :

— T'as vu du monde de l'École, récemment ?
— Non. Le monde est moins jasant qu'avant.
— Hm. Je comprends. Les affaires de Max Lap vont bien. Y'a vraiment pris une coche, je trouve.

Un long silence, encore. T'en pourras plus. Tu vas pédaler plus vite :

— T'sais qu'y va être papa ?
— Ah ben.
— Ouais.

Un autre temps. Tu vas poursuivre :

— J'étais en show, à soir.
— Vous étiez où ?
— Saint-Hyacinthe.
— Bien été ?
— Ouais.

— Ouais, me semble c'est souvent des bonnes salles, Saint-Hyacinthe.
— Oui. Pis le show roule bien. Les critiques ont été bonnes, à la première. Presque tout est déjà vendu.
— C'est cool. C'est cool. J'ai recommencé à travailler sur de quoi, moi avec.
— Ah ouais ?

Tu vas essayer de cacher ton mépris. Sam va aller plus mal que tu vas l'avoir estimé : faudra être cinglé pour penser qu'il pourrait remonter sur scène.

— Ouais. Un genre de show comeback. Je pense que le monde est prêt pour ça. T'sais, entendre ma version de l'histoire. Crever l'abcès. Faire amende honorable, genre.

Un comeback, tu vas te dire. Un comeback, à peine quelques mois après. Tu vas ravaler l'envie de péter sa balloune :

— Ah. Ouais. C'est cool, ça doit t'occuper.
— Ouais.

Tu vas abandonner :

— Faque… pourquoi tu voulais me parler ?
— Aucune raison.
— Aucune raison.
— Non.
— Juste parler. Un mercredi à minuit. Dans' pluie.
— T'es pas fort sur les textos pis tu réponds pas à mes appels. Je t'ai invité à prendre une bière genre mille fois pis tu m'es jamais revenu.
— T'sais ce que c'est. Je suis dans le jus, man. Avec la job.

— Mais tout le monde dit ça.
— Mais tout le monde travaille.
— On se voyait, avant. Même avec la job.

Tu vas essayer de détendre l'atmosphère, en lançant à la blague :

— T'sais que t'as l'air ben creep, à te faufiler dans mon bloc.

Il va bouger pour la première fois : il va avancer vers toi, venir s'appuyer sur le coin du comptoir de la cuisine. Il va complètement ignorer ta tentative d'humour :

— À part en rehab, j'ai vu personne que j'ai pas payé depuis deux mois. Ma psy, le médecin, le gars qui fait mon épicerie, les livreurs. C'est le seul monde que je vois.
— Tu vois pas… ?
— Qui ?
— Laurie ?
— Pourquoi je verrais Laurie ?
— Je sais pas. Vous travailliez pas ensemble sur ton show ?
— Ouais, mais… c'est ça, c'est mort, ça, comme le reste.
— Ah ouais, ouais.
— Faque tu comprends que je suis en train de virer fou, un peu, tout seul chez nous ?
— Mm-hm. Mais t'sais…
— Quoi ?
— Tu le comprends, quand même, que ça se pourrait que certaines personnes puissent ne pas vouloir te voir. Pour plein de raisons valides.
— Oh, come on. Je suis quand même pas radioactif.
— Non. Ça serait probablement plus facile à gérer, si c'était juste ça. Au moins, y'existe des suits pour ça.

Son regard va partir dans le vide, comme s'il regardait à l'intérieur de lui-même. Tu vas essayer de le ramener.

— Rehab, c'est comment ?
— Honnêtement ?
— Ouais ?
— C'est de la tabarnak de marde.
— C'est ce que tout le monde dit, hein ?
— Si j'avais voulu me lever à six heures du matin pis me faire engueuler parce que mon lit est pas fait, je me serais enrôlé dans l'armée.
— C'est si pire que ça ?
— Je suis pas drôle à jeun. Je suis pas le fun à jeun. Je suis un individu de marde à jeun. Je suis beige pis je tape sur les nerfs pis tout me gosse pis je suis pas intelligent. On te met là on te dit *hey capote pas ça va juste être un mauvais moment à passer* pis quand tu sors on te dit *bonne chance man ça va être comme ça le reste de ta vie*. Pis t'es supposé avoir toute figuré ta shit.
— Je comprends.
— Non, je pense pas que tu comprends, mais… c'est pas grave. Je veux dire je sais même pas si je vais pouvoir travailler encore, man. Quand j'essaye de brainstormer, man, c'est comme si… comme si ça m'avait changé. Je suis fucking plate, comme personne, maintenant.
— C'est-tu pour ça que t'es là ?
— Quoi ?
— La rehab. Ils te mettent pas dans une démarche de, de, genre aller voir du monde quand tu sors ?
— Non, non.
— Genre pour demander pardon pis toute ?

— Non, voyons, c'est pas ce genre de place là, c'est pas new age de même.
— Ah okay.
— Mais pourquoi demander pardon ?
— Hein ?
— Pourquoi je serais venu pour te demander pardon ?

Un temps. Tu vas te demander si tu t'es gouré, si tu serais pas allé dans une zone où faudrait pas aller. Tu vas hausser les épaules :

— Je sais pas. Je... je disais ça de même.
— Je t'ai rien fait, moi. Pis je veux dire j'ai rien fait à personne non plus.
— Je sais pas, Sam.
— Quoi, « je sais pas » ?
— Oublie ça. C'est juste—
— Quoi ?
— Sam, là, come on. On va pas non plus se rentrer la tête dans le sable.

Ses dents vont se serrer :

— Quoi ?
— Je veux dire y'est arrivé des affaires, quand même, tout ça c'est pas sorti d'un chapeau, quand même.
— Qu'est-ce t'en sais ?

Sam va avoir été tranchant, sur cette phrase-là. Tu vas te sentir forcé d'abdiquer.

— Rien, dans le fond. J'étais pas dans la chambre avec toi.
— Es-tu fucking sérieux ? De quelle chambre tu parles ?

Il va parler plus fort. Postillonner. Comme sur scène. Sam postillonne énormément, sur scène. Tu vas essayer de l'adoucir :

— C'est pas ça que je voulais dire—
— Es-tu capable de juste un peu d'empathie, estie ? T'aurais pu te retrouver su'a liste cent fois toi avec !

Tu vas le regarder dans les yeux fermement, pour lui indiquer que sa période de grâce est terminée. Il va éviter ton regard. Il va s'être redressé. Il va avoir repris des couleurs. Le rythme de sa parole va s'accélérer. Tu vas le reconnaître : Sam, comme avant, avec juste un peu de feu dans les veines. Qui s'anime parce que quelque chose, ou plus habituellement quelqu'un, le fait chier.

— Essaye pas de jouer au fucking enfant de chœur, Raph ! Come on ! Rendu là, c'est pratiquement un coup de chance ! T'as fourré combien de filles depuis que je te connais ? Statistiquement, c'est presque certain qu'une soirée a dérapé pis qu'une fille a trouvé que t'allais trop loin pis trop vite ! La seule différence, c'est que probablement que celle à qui c'est arrivé avait pas une estie de grande gueule !
— Dude. Arrête.

Il va prendre une inspiration, pour se calmer. L'air va mal passer. Les mots vont sortir de sa bouche avant qu'il arrive à respirer. Il va avoir l'air de s'étouffer avec son discours. De se débattre dans l'eau pour rester à flot alors que ses poumons se remplissent de liquide. Chaque inspiration va être laborieuse et douloureuse. Il va rugir :

— T'avais pas non plus besoin de fesser sur quelqu'un qui était déjà à terre, t'sais !

— J'ai pas *fessé*—
— Dude. Les *je vous crois* pis les *sortons les vidanges*. Le gars fait des jokes de plotte pis du jour au lendemain, c'est l'allié féministe le plus dévoué du Québec !
— T'étais pas le seul visé.
— Pis l'article dans le journal, estie ! Tu m'as fucking vendu !
— J'ai dit ce que je savais—
— Ce que tu *supposais*—
— Pis ce que tout le monde savait by the way—

Un sanglot va saccader sa parole.

— Dude, je— je pensais que j'étais ton ami ! Personne t'a, t'a, t'a mis le gun sur la tempe pour te demander de prendre position !
— Pas littéralement, non. Mais je veux dire, t'as vu le climat…
— Non ! Non, je l'ai pas vu, le climat, man ! J'ai comme décroché des nouvelles assez vite !
— Ben garder le silence c'était perçu comme endosser. Faque j'ai… j'ai juste faite ce qu'on m'a dit de faire pour avoir le moins de trouble possible.

Il va rester quelques instants à hocher la tête frénétiquement, haletant comme un chien. Il va s'appuyer contre le comptoir. Ses cheveux vont recouvrir son visage. Tu vas voir un filet de bave dégouliner jusqu'au sol. Il va avoir l'air complètement cinglé. Il va répéter :

— Le moins de trouble possible. Le moins de *fucking* trouble possible.

Il va glisser contre le comptoir jusqu'à finir assis par terre. En larmes. Il va chuchoter :

— C'était pas une bonne idée, de venir ici.
— Non. Je te l'ai dit, ça.

Tu seras pas capable d'aller vers lui. Tu vas juste fixer le sol et espérer qu'il disparaisse sans que t'aies à intervenir. Il va marmonner à travers ses sanglots :

— Raph ?

Son ton va être implorant. Tu vas te sentir forcé de poser les yeux sur lui.

— C'est-tu juste à cause de Laurie ?
— Quoi ?
— T'as fait ça pour te venger ?
— Non, man. T'es malade mental.
— *Moi* je suis malade mental ?

Sam va te connaître assez pour savoir comment utiliser le passé à son avantage. Il va savoir comment faire résonner chez toi, avec quatre mots, une prosodie parfaitement placée et un regard juste dans le bon angle, une combinaison capable d'évoquer un concept, un lieu, un temps, une histoire entière : un *moi* te renvoyant à toi, et te rappelant que t'as pris beaucoup trop d'années à te remettre, si on peut appeler ça se remettre, de moi. Te rappelant que si quelqu'un est faible, entre vous deux, c'est toi, et sous-entendant que, de vous deux, si quelqu'un était capable de s'abaisser à détruire toute la vie de l'autre par simple et bas désir de vengeance, ce serait toi. Te rappelant que le malade mental, ce sera toujours toi, et pas lui.

C'est ça que tu vas entendre dans son *moi je suis malade mental ?* Ce sera peut-être pas ce que Sam va dire, mais c'est ça que tu vas entendre. Pis tu vas te rendre compte que peut-être que t'aurais pas entendu ça si t'étais pas au moins partiellement d'accord avec l'affirmation.

— T'aurais dû te faire descendre toi avec.
— Comme ça tu te sentirais moins tout seul de m'avoir avec toi ?
— Non. Comme ça ce serait plus juste.
— Moi j'ai pas fourré de mineures, Sam.

Il va arriver à se lever, très péniblement. Il va replacer son imperméable. Il va se diriger vers la porte et dire, en ouvrant :

— Je veux juste te dire que t'avais l'occasion de faire sentir quelqu'un un peu moins comme de la marde à soir, pis que t'as crissement raté ta shot.

Quand Sam va claquer la porte, que tu vas entendre ses pas s'éloigner sur la moquette du corridor, tu vas réaliser que tu viens de laisser partir la personne dans ce monde qui te connaissait le plus. Tu vas te dire que c'est peut-être la meilleure chose qui pouvait t'arriver. C'est plus facile de naviguer à travers une vie dans laquelle personne connaît par cœur toutes tes plaies ouvertes.

Dans six ans et quelques mois, au printemps, en avril, le 20 avril très précisément, on va se revoir pour la dernière fois. Ça va être un miracle, quand même, qu'on se soit pas recroisés avant: le Québec est tellement petit, et nos vies à nous deux vont avoir été tellement imbriquées, pendant un temps. C'est difficile de croire qu'on peut séparer ce qui a été fusionné. Mais c'est possible: après cette date-là, on se reverra plus. Jamais. Et c'est même pas parce qu'on va mourir jeunes. Non: on va mourir vieux, même si t'aurais préféré rejoindre le 27 Club.

La rencontre va être un pur hasard, si on admet l'existence du hasard.

Ça va se passer à l'aéroport. Tu vas être sur ton retour de Sept-Îles, où tu vas avoir été en show. Tu vas avoir dû revenir en ville en avion, parce que Thomas va t'avoir booké sur un quiz le lendemain de ton show. Tu vas avoir des dizaines de milliers de billets à vendre par année, alors toute publicité sera une bonne publicité. On n'attire pas les mouches avec du vinaigre.

Tu vas être en train de marcher prestement vers la sortie, ton sac sur le dos, ton téléphone sur l'oreille, occupé à prétendre que t'es en conversation pour éviter de te faire accrocher par des fans malaisants qui poseraient une main sur ton épaule sans demander ton avis et qui te citeraient hors contexte une blague que t'as faite une fois en 2013 dans une soirée d'humour à Longueuil, parce qu'ils pensent que c'est une façon sympathique de démarrer une conversation, te forçant alors à être gentil, à faire semblant de t'intéresser à des gens qui constituent ton pain et ton beurre, dont t'as besoin pour gagner ta vie et même simplement pour exister, mais avec qui tu es incapable d'interagir autrement que par centaines, et armé de l'ascendant d'une scène et de projecteurs braqués sur toi. À cette époque-là, tu vas avoir tout ce que t'auras toujours voulu, et tu vas encore trouver des raisons de te plaindre. Mais jamais autant que quand je vais t'avoir laissé.

En passant devant le carrousel à bagages, tu vas jeter un regard légèrement méprisant sur les membres en règle de la plèbe qui vont attendre la gigantesque valise qu'ils ont traînée avec eux pour cinq maigres jours à Puerto Vallarta, en te félicitant d'avoir été admis dans le club des génies qui savent voyager intelligemment, qui savent s'en tenir au bagage de cabine, par souci d'efficacité.

Et pendant que tu vas fendre la foule, les yeux au sol, ton téléphone sur l'oreille, en exagérant des *mm-hm* pour acheter la paix et garder tous les humains à un bras de distance, une figure va se détacher. Un visage que tu vas reconnaître, mais pas exactement, comme une copie carbone d'une copie carbone d'une copie carbone, un portrait-robot reconstitué de mémoire, cent ans après les faits. Non, pas cent : six. Six ans, c'est pas un siècle, mais c'est tout comme.

Une copie carbone pâle, effacée, desséchée, de la fille que je suis en ce moment. Une copie carbone de moi, debout, qui attend devant le carrousel à bagages, l'air fatiguée, le regard fixant le lointain. Moi, qui vais avoir squatté tes pensées à chaque jour, chaque heure, chaque minute, pendant des années. Moi, normale, pas maquillée, les cheveux en bataille. Moi, indigne du rôle de némésis dans lequel tu vas m'avoir placée pendant tellement longtemps, et auquel je correspondrai plus, parce que contrairement à ce que tu vas avoir imaginé, je vais avoir changé, et pas en fonction de toi.

Moi. Moi, que t'aurais ignorée, en toute autre circonstance. Mais moi, trop centre-cadre, trop directement devant toi pour que tu puisses me fuir, moi qui reconnais quelque chose d'aussi anonyme et anodin que tes *mm-hm* feints au téléphone, et qui vois clair dans ton jeu.

Moi, devant qui tu figes, déployant des efforts surhumains pour ne pas me sourire. Mon nom que tu énonces sans enthousiasme, sans surprise, sans émotion aucune. *Laurie*, sur le même ton qu'on dirait *ah, tiens, une porte.*

— Laurie.

Moi, qui réagis pas plus que toi. Tu vas aimer penser que c'est parce que je te crains, ou parce que je suis triste, ou parce que je regrette et que je vois tout notre passé défiler devant mes yeux, ou parce que je t'envie, ou parce que je te désire, ou tout ça en même temps. Mais tu sauras rien de ça parce que même avec tous tes dons t'auras pas été doué de la capacité à me lire.

Même si t'aurais donné un bras pour ça. Un bras pis une jambe.

— Raph.

Je vais réussir à être aussi monocorde que toi. Deux chiens de faïence en mexican standoff à Montréal-Trudeau. Dans un monde idéal, il y aurait un silence, le monde entier se mettrait sur pause, la nuit tomberait d'un coup sur le terminal, et tous les figurants autour se volatiliseraient. Resteraient juste nos visages, flottant dans l'obscurité, baignés d'une lumière divine. Mais ça va être pas mal moins épique: un gros dude en habit de chasse va me tasser du chemin pour récupérer son duffle bag et son arc, une maman va s'excuser de son bébé qui me braille à tue-tête dans l'oreille, une adolescente va tapoter ton épaule pour te demander un selfie, que tu vas lui concéder en me lâchant pas des yeux une seconde.

Elle a vieilli, tu vas te dire.

Elle a vieilli et sa posture s'est affaissée, tu vas te dire, *mais elle est belle, encore belle, quand même*, et ça va te faire profondément chier. Tu seras pas capable de te convaincre de me trouver laide.

Tu sauras pas si le silence va avoir duré deux secondes ou dix minutes, mais comme toujours, tu vas te sentir obligé de le remplir. Tu vas dire:

— Je reviens de chasser, moi avec.

Je rirai pas. Tu vas le prendre comme un affront: t'es rien, quand t'arrives pas à faire rire. Ça va te scier les jambes. Je vais simplement dire:

— Ah bon. Tu chasses, maintenant?
— C'est une joke.
— Ah.

Tu vas croire que je fais exprès pour ne pas rire, dans le but de t'enlever l'arme qui t'a toujours permis de te faufiler, de charmer, de réussir. Ça va être plus facile pour toi d'imaginer que je me retiens de rire que d'accepter que j'ai pas trouvé ça drôle. Les ego, c'est comme des ballons gonflés à l'hélium: plus ils sont gros, plus ils sont fragiles.

— Non, je reviens de tournée. Mais à Sept-Îles, faque c'est presque comme si j'étais parti chasser.
— Sept-Îles.
— J'ai des fans partout. Le pouvoir infini du câble.

Encore là, pas de rire. Ce sentiment d'une salle de deux mille personnes, pleine à craquer, qui te regarde, les bras croisés, dans un effroyable silence de mépris. Je vais juste répondre:

— Je saurais pas. J'écoute pus vraiment la télé.
— Façon de parler. Ça passe plus par les réseaux sociaux que la télé anyway.
— Raph, je le sais.
— Je dis pas ça pour— je veux dire je sais que tu sais.

Tu vas presque avoir perdu patience, en pensant que je force la mauvaise foi. Je vais sourire. Je vais avoir l'air sincèrement gentille à ce moment-là. Ça va te rendre fou, parce que tu vas croire que tu t'es gouré, que t'es passé à deux doigts de me mansplain un domaine que je connais de fond en comble, mais tu vas avoir aucune façon de savoir en me regardant. Tu seras pas capable de lire mon état mental. Comme toujours. Tu vas dire :

— Tu reviens de voyage ?
— Oh, non. Oui pis non.

Un temps. Tu vas me laisser le temps de préciser, mais je dirai rien.

— Donc tu reviens d'où ?
— Pyouvi.
— Pyouvi ?
— Puvirnituq.
— Ah. Dans le Nord ?
— Ouais. Dans le Nord.
— C'est beau ?
— C'est beau, oui.

Je vais avoir l'air un peu lasse, en disant ça. T'arriveras pas à savoir si c'est par fausse humilité, par réel ennui ou pour cacher autre chose. Tu vas toujours avoir envié mes silences, ma capacité à me taire et à prendre un temps d'arrêt, alors que tout ce que tu sais faire, c'est parler. Tu vas demander :

— Tu faisais quoi, là-bas ?
— Je travaillais. J'enseigne, maintenant.
— Ah ouais ?
— Le français. Au secondaire. Je remplaçais, pour un congé de maternité. J'aurais aimé finir l'année, mais l'enseignante que je remplaçais est revenue.
— Ah. Je savais pas que t'étais prof, maintenant.
— Ouais, ben c'est pas comme si on prenait souvent de nos nouvelles.

— Ouais. Le temps passe vite, hein.
— Le temps passe vite, ouais.

Ton téléphone va sonner : un appel de Thomas. Pour vrai, cette fois-ci.

— Tu peux le prendre, je vais dire.
— C'est pas urgent.

C'est pas urgent, tu vas penser. *C'est pas urgent, j'ai mieux à faire en ce moment.*

— Je savais pas que tu voulais être prof.
— Ouais. Non. Moi non plus. Mais… ouais.
— Pourquoi prof ?

Pourquoi prof ? La véritable question étant : *pourquoi tu travailles plus en humour ? Est-ce que t'as eu l'impression, à mesure que le temps avançait, qu'on voulait de moins en moins de toi ? Est-ce que tu t'es sentie rejetée, est-ce que t'as eu l'impression que tous tes anciens collaborateurs se retournaient contre toi ? Est-ce que le bannissement de Sam a mis le clou dans le cercueil de ta carrière ? Est-ce que ça t'a couverte de honte, la fois qu'on t'a nommée dans le journal, en disant que t'avais posté de l'argent à des baises des artistes de Forand pour leur fermer la gueule, et est-ce que c'est ça qui t'a donné envie de partir loin ?*

La véritable réponse que tu cherches étant : *j'avais pas ce qu'il faut. J'ai échoué. J'ai échoué et toi t'as gagné.*

— Faut ben payer le loyer, d'une façon ou d'une autre.

Une partie de toi va penser que le loyer, voire une hypothèque, se paierait facilement si je recevais des droits de suite pour ton spectacle, ou celui de Sam. Ça va te faire sourire. Je vais continuer :

— Pis ça me permet d'aller dans des places que je pensais jamais visiter, faque… c'est un mal pour un bien.

« Un mal. »

— Qu'est-ce tu veux dire ?

Tu vas croire que je me suis gourée, que je voulais conserver ma façade mais que le fond de ma pensée m'a échappé. Dans ta petite tête où les moteurs tournent toujours à des milliers de tours par minute, tu vas calculer que ce que je laisse entendre, c'est que je regrette, au fond. Tu vas être certain que je vais être en train de te regarder, toi, ton sac sur le dos, le dos droit, debout au milieu de l'aéroport, et que je vais rêver, peut-être pour la première fois, de reculer le temps, pour revenir au moment précis, à l'endroit précis, où quelque chose en moi s'est détaché de toi, pour me battre de toutes mes forces pour rester accrochée à toi, pour rester amoureuse de toi, et qu'on se laisse pas, en sachant que mon futur avec toi serait mille fois plus lumineux.

Ce serait un futur dans lequel on reviendrait ensemble de Sept-Îles, dans lequel on ramasserait ensemble nos bagages, pendant que je te donnerais des notes sur ta performance de la veille, que je chercherais à voix haute la meilleure façon de formuler la chute d'un numéro de ton show. On monterait ensemble dans un taxi pour revenir dans un appartement qu'on partagerait depuis des années dans l'harmonie la plus parfaite, dans lequel on recevrait souvent des amis pour qui on serait une icône d'amour durable. Il serait beau, l'appart. Je l'aurais bien décoré.

Dans quelques semaines, ou quelques mois, peut-être, j'aurais du retard sur mes règles. Je t'en parlerais et on irait acheter un test de grossesse ensemble. On apprendrait qu'on deviendrait parents. Ça nous donnerait le vertige à tous les deux, et on serait certains qu'on n'est pas du tout prêts mais on verrait pas d'autre choix que de faire le saut ensemble à pieds joints. Tu parlerais de ta paternité à venir dans une entrevue à la télé et ça toucherait tout le monde parce que t'aurais l'air d'un futur papa exemplaire.

Notre premier naîtrait et on s'achèterait une maison sur la Rive-Sud. On finirait par en avoir un deuxième, parce que pourquoi pas. On travaillerait sur ton quatrième show ensemble. Ça se ferait bien parce qu'on pourrait travailler de la maison en partageant les tâches familiales. Je te suivrais sur la route en tournée et ça serait bien parce que t'arriverais à continuer de voir les enfants malgré le travail. Tu serais un bon père. Maladroit et attachant et nono et bien intentionné et généreux et à l'écoute.

Tu finirais par accepter d'animer un quiz débile mais très payant. Tu mépriserais le show en privé, parce que ça t'éloignerait de ton but de faire de l'humour recherché et edgy et unique, mais ça nous permettrait d'acheter un chalet en Estrie dans lequel on recevrait beaucoup d'amis. Quand le show serait pas renouvelé, après plusieurs bonnes saisons, ça serait pas une mauvaise nouvelle: j'aurais été assez prévoyante pour te forcer à mettre beaucoup d'argent de côté, et on partirait en voyage toute la famille une dizaine de mois, en nous disant qu'on travaillerait sur un nouveau one-man show pour toi à notre retour. Ce serait tes premières vacances depuis très longtemps. Tu serais bien. Tu serais vraiment bien.

On irait en Thaïlande. Tu serais jamais allé, parce que t'aurais pas eu besoin de partir en voyage pour te changer les idées après notre rupture, parce qu'elle se serait pas produite.

Un soir, on regarderait le soleil se coucher sur l'eau, à Krabi, en buvant une Tiger pendant que les enfants joueraient sur la plage. Tu tournerais les yeux vers moi et tu fondrais en pleurs. Je te demanderais ce que tu as en te caressant la joue. Tu dirais :

— J'ai tout ce que j'ai toujours voulu.

Ça me tirerait des larmes, moi aussi, et je t'embrasserais. T'ajouterais :

— Je sais pas ce que j'aurais fait, si t'avais refusé ma demande en mariage au Berghain.
— Comment j'aurais pu dire non ?

Tu vas être certain que je vais m'imaginer tout ça, à te regarder comme ça, debout au milieu de l'aéroport, avec un douchebag portant un chapeau de cowboy Corona qui lâche un rot à côté de toi, et un couple de boomers qui chiale contre la lenteur du service d'Air Canada en arrière-plan. Tu vas être certain que je m'imagine tout ça en regrettant. Ça va te donner la sensation d'avoir gagné. Gagner sera tout ce qui aura toujours compté.

Faudra gagner. Parce que le contraire impliquerait d'admettre que, même six ans plus tard, même après avoir appris à te lever le matin sans que je sois la première pensée occupant ton esprit, ma vue te trouble encore.

— Faut que j'aille attraper mon autobus, je vais dire.

Sam va t'avoir dit, peu de temps après le breakup, que des années plus tard, on se reverrait pis que tu comprendrais même pas pourquoi on a été ensemble.

Mais tout ce que tu vas vouloir, ce jour-là, c'est me dire de prendre un taxi avec toi. De rentrer avec toi. Qu'on fasse comme si les six dernières années s'étaient pas produites et qu'on reparte de zéro.

— Bonne chance, tu vas dire.
— Pour ?
— Pour tout, j'imagine.

Dans le taxi, tu vas fixer le dehors sans rien dire, en marmonnant des réponses monosyllabiques au chauffeur qui va te parler avec beaucoup d'enthousiasme de la pub de Honda dans laquelle tu vas figurer, à la télé.

Sur le bord de l'autoroute, y aura une enseigne gigantesque avec la face de Sam en gros plan. Il va avoir un genre d'air ahuri, comme si on venait de le surprendre en train de faire quelque chose de juste un peu coquin. *SAM BOUVIER : RETOUR AUX SOURCES ! BILLETS EN VENTE MAINTENANT !*

Y'arrive quatre heures. Le noir est en train de virer tranquillement au bleu royal, dans le ciel. La ville est à son point le plus silencieux. C'est estival, comme matin, même si on est en octobre. C'est la température parfaite, celle où on sent plus qu'on a une peau.

Ça fait au moins quarante minutes qu'on marche. T'as proposé un taxi mais j'ai insisté pour marcher, parce qu'il fait trop beau. T'as aimé ça. T'aurais jamais eu l'initiative de faire ça, toi. T'es pas quelqu'un qui profite du moment. Qui change ses plans sur un dix cennes. T'es pas spontané, dans la vie de tous les jours. Tu gardes ça pour le travail. Ça te prend quelqu'un comme moi pour te faire sortir de ta coquille.

— J'admire ta confiance, tu dis.
— Ah ouais ?
— Ça prend quand même des couilles de béton pour raconter tout ça en se prenant au sérieux.
— Peut-être que je suis juste hyper confiante parce que j'ai effectivement vu tout ça.

Tu m'offres un sourire en coin que tu réserves qu'aux chums de gars très intimes, ou aux filles qui t'attirent beaucoup. Un air qui concède que ton interlocutrice est particulièrement intelligente.

Je mets le pied sur la première marche de l'escalier en fer forgé menant à chez moi, puis je me retourne et je te dis :

— Veux-tu monter ?

La rue est complètement vide. L'air est parfaitement statique, sans même le bruit du vent. Derrière toi, un chat traverse la rue au pas de course.

— Pour vrai ?

T'essayes de pas avoir l'air trop enthousiaste, mais tu réalises que t'as mal au visage tellement tu souris.

— Ben ouais.
— Je peux monter, oui.
— Est-ce qu'on est sûrs qu'on veut faire ça ?

Tu tournes la tête comme un chiot, pis tu me dis, avec un regard joueur :

— Quoi ?
— Ce qu'on s'apprête à faire.
— Qu'est-ce qu'on s'apprête à faire ?

Tu te rapproches de moi. Debout sur la marche, comme ça, mon visage arrive exactement à la même hauteur que le tien. Tu sens ce qui reste de mon parfum, mais aussi un peu de ma sueur du party. Ta tête s'allège d'un coup. Une décharge descend ta colonne. Je continue :

— Tu sais ce qui va arriver, si tu fais ça.

Tu murmures, en jouant à l'innocent :

— Il va arriver quoi ?
— Ce que je t'ai raconté.

Et alors qu'on s'attendrait à ce que ça jette un voile sur ton visage, ça te fait juste sourire. Tu dis :

— On couche ensemble pis je gagne, à la fin. Me semble que c'est un pas pire deal. Toute façon, faut que je vérifie si tu mens.
— Je mens pas, je te jure.
— Mais toi, est-ce que t'as envie ?
— De ?

Tes lèvres se posent très délicatement sur les miennes. Une suspension du temps, légère, très douce. Du champagne qui éclate dans tes oreilles. Les muscles de ton visage qui se crispent parce que tu souris depuis trop longtemps. Ta tête qui recule pour me regarder à nouveau et dire :

— De m'embrasser ?

Je fais un tout petit oui de la tête, avec un sourire en coin.

— Pis pour le reste ?
— Pour le reste je le prends sur moi. Tu m'as averti dans quoi je m'embarquais faque je le prends sur moi. Si ça finit mal, je te jure je le prends sur moi.

REMERCIEMENTS

Je veux remercier Sophi Carrier, Rosalie Vaillancourt et Laurianne Walker-Henley pour leur aide dans ma recherche, ainsi que Suzie Bouchard pour la script-édition des blagues.

– JP

DU MÊME AUTEUR

CHEZ TA MÈRE

Manuel de la vie sauvage 2018

La singularité est proche 2018

« Automne » dans *Les cicatrisés de Saint-Sauvignac (histoires de glissades d'eau)*, première édition en 2012 2017

Royal 2016

« Ça sert à quoi de faire le jihad si personne le voit », dans *Des nouvelles de Ta Mère* 2015

Sports et divertissements 2014

« L'express 12-18 », dans *Maison des jeunes* 2013

Ménageries, avec Benoit Tardif 2012

AILLEURS

« Peeping Tom », dans *Pulpe : recueil de nouvelles érotique* (Québec Amérique) 2017

Tranche-cul (Dramaturges Éditeurs) 2014

LES LIVRES DE TA MÈRE

COLLECTION PRINCIPALE

00 *Le livre noir de ta mère*, collectif
01 *Je pense que ce recueil s'adresse à toi*, Maxime Raymond
02 *American épopée*, Guillaume Cloutier
03 *Les plus belles filles lisent du Asimov*, Simon Charles
04 *Plusieurs excuses*, Stéphane Ranger
05 *Vers l'est*, Mathieu Handfield
06 *Événements miteux*, Frédéric Dumont
07 *Sens uniques*, Gautier Langevin
08 *Ceci n'est pas une histoire de dragons*, Mathieu Handfield
09 *Un monstre*, Christophe Géradon
10 *Partir de rien*, Maude Nepveu-Villeneuve
11 *M.I.C.H.E.L. T.R.E.M.B.L.A.Y.*, Orson Spencer
12 *Les cicatrisés de Saint-Sauvignac (histoires de glissades d'eau)*, Sarah Berthiaume, Simon Boulerice, Jean-Philippe Baril Guérard et Mathieu Handfield
13 *Ménageries*, Jean-Philippe Baril Guérard et Benoit Tardif
14 *Maison de vieux*, collectif
15 *Danser a capella*, Simon Boulerice
16 *Toutes mes solitudes!*, Marie-Christine Lemieux-Couture
17 *Villes mortes*, Sarah Berthiaume
18 *Maison des jeunes*, collectif
19 *Les fausses couches*, Steph Rivard
20 *Clotaire Rapaille, l'opéra rock*, Olivier Morin, Guillaume Tremblay et Navet Confit
21 *Albert Théière*, Matthieu Goyer
22 *Sports et divertissements*, Jean-Philippe Baril Guérard
23 *Igor Grabonstine et le Shining*, Mathieu Handfield
24 *L'assassinat du président*, Olivier Morin et Guillaume Tremblay
25 *Des nouvelles de Ta Mère*, collectif
26 *La remontée*, Maude Nepveu-Villeneuve
27 *Des explosions*, Mathieu Poulin
28 *Hiroshimoi*, Véronique Grenier
29 *Épopée Nord*, Olivier Morin et Guillaume Tremblay

30 *À la fin ils ont dit à tout le monde d'aller se rhabiller*, Laurence Leduc-Primeau
31 *Géolocaliser l'amour*, Simon Boulerice
32 *Des nouvelles nouvelles de Ta Mère*, collectif
33 *Royal*, Jean-Philippe Baril Guérard
34 *Petite laine*, Amélie Panneton
35 *Musiques du diable et autres bruits bénéfiques*, Alexandre Fontaine Rousseau et Vincent Giard
36 *Chenous*, Véronique Grenier
37 *Juicy : une idylle à quatre pattes*, Mélodie Nelson
38 *De l'utilité de l'ennui : textes de balle*, Andrew Forbes
39 *Antioche*, Sarah Berthiaume
40 *La singularité est proche*, Jean-Philippe Baril Guérard
41 *Alice marche sur Fabrice*, Rosalie Roy-Boucher
42 *Dimanche*, Jérôme Baril
43 *Nyotaimori*, Sarah Berthiaume
44 *Manuel de la vie sauvage*, Jean-Philippe Baril Guérard
45 *Vieille école*, Alexandre Fontaine Rousseau et Cathon
46 *Fille d'intérieur*, Frankie Barnet
47 *Les Secrets de la Vérité*, Olivier Morin et Guillaume Tremblay
48 *Si j'étais un motel j'afficherais jamais complet*, Maude Jarry
49 *Ta maison brûle*, Simon Boulerice
50 *Carnet de parc*, Véronique Grenier
51 *La lutte*, Mathieu Poulin
52 *Sainte-Foy*, Akena Okoko
53 *Deux et demie*, Carolanne Foucher
54 *Le clone est triste*, Olivier Morin et Guillaume Tremblay
55 *Verdunland*, Timothée-William Lapointe et Baron Marc-André Lévesque
56 *Terres et forêts*, Andrew Forbes
57 *J'attends l'autobus*, Alexandre Castonguay
58 *Combattre le why-why*, Rébecca Déraspe
59 *Haute démolition*, Jean-Philippe Baril Guérard

Achevé d'imprimer
en mai deux mille vingt et un, sur les presses
de l'imprimerie Gauvin, Gatineau, Québec